玩趣千年

指尖上的中国

浅草——主编
曲佩慧——著

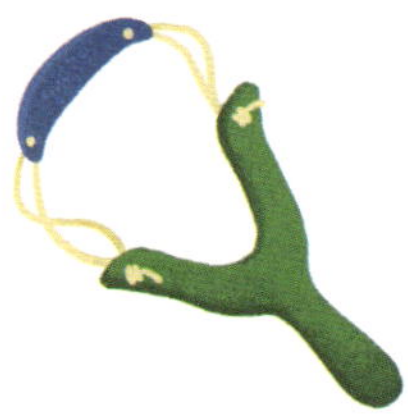

中国少年儿童新闻出版总社
中国少年儿童出版社
北京

图书在版编目（CIP）数据

玩趣千年 / 曲佩慧著 . -- 北京 : 中国少年儿童出版社 , 2025. 1. -- (指尖上的中国 / 浅草主编).
ISBN 978-7-5148-9240-6
Ⅰ. J528-49
中国国家版本馆 CIP 数据核字第 2024EC1264 号

WAN QU QIAN NIAN
（指尖上的中国）

出版发行：中国少年儿童新闻出版总社 中国少年儿童出版社

执行出版人：马兴民
责任出版人：缪　惟

丛书策划：缪　惟　邹维娜　　封面插图：谢月晴
责任编辑：邹维娜　　内文插图：郭方伟
责任校对：陈毕欣　　装帧设计：yoko
责任印务：厉　静

社　　址：北京市朝阳区建国门外大街丙 12 号　　邮政编码：100022
编 辑 部：010-57526333　　总 编 室：010-57526070
发 行 部：010-57526568　　官方网址：www.ccppg.cn

印刷：艺堂印刷（天津）有限公司

开本：720 mm × 1000 mm　1/16　　印张：10.25
版次：2025 年 2 月第 1 版　　印次：2025 年 2 月第 1 次印刷
字数：95 千字　　印数：1—6000 册

ISBN 978-7-5148-9240-6　　定价：44.00 元

图书出版质量投诉电话：010-57526069　电子邮箱：cbzlts@ccppg.com.cn

序

一片素心好成物

孩子对物是共情的。在他们的感觉中，一切事物都是带有灵魂的。我小时候不会对着镜子跟自己说话，但是，会对着一块石头、一棵草或一条河说很多很多的话。看到自己的橡皮变得越来越小了，我就开始跟“他”告别；捡到一片树叶，看见叶脉在阳光下抖动，也会问“他”是不是要死了。《当代》杂志徐晨亮主编的小女儿温婉可爱，在新疆乌鲁木齐与我们分别时，她给每一位老师送了一张自己画的小画。送给我的是一朵小花儿的简笔画，小姑娘告诉我：“这朵花儿很快就开了……”

成年人对物是有寄托的。“斑竹枝，斑竹枝，泪痕点点寄相思”，竹子的纹路激发了伤感；“记得小蘋初见，两重心字罗衣”，一件衣服惹起了万千的牵挂；“烈士击玉壶，壮心惜暮年”，李白的玉壶里有铿锵之声；“春咏敢轻裁，衔辞入半杯”，义山的诗情可以装入酒杯之中……

让孩子感悟物之趣，了解物之理，用自己的手做一件饱含想象力的器物，让身体感受在那创造性的瞬间迸发出来的欢欣鼓舞，这才是这本书所以鼓吹童心与物心相融通的题中之义。

多年来，浅草喜欢各种各样充满情趣的小物件。一杯清茶，她看见了世间温润的情怀；一壶生普，她闻见了苍云变幻的从容；她坚信扣碗倒出来的不仅仅是汤汁，还是可以与宋人同色的领悟；她觉得一件茶叶末釉的器具，饱含了神秘的情调和韵味。如果不是还肯对这个世界抱持一种人文主义的猜想，如果不是还肯对人维持一点儿善良纯粹的愿望，怎么会有浅草笔下万物雅趣的生动？

三分侠气能为友，一点素心好做人。英国有一句谚语说，人类可以造楼、造火车，只有大自然造出了一棵草。其实，人类还可以用大自然造一棵草的心来造自己。

让孩子学习一点儿匠心造物的知识，感受一点儿器物本心的光晕吧！这不是让他们享受简单的孩童情趣，而是让他们长大后还有能力焕发孩童情趣，还有能力想象自己可以创造属于自己的世界！

周志强

南开大学文学院博士生导师，

长江学者，天津美学学会会长

自序

三十多岁的时候，我接触了传统手工艺文化，得以把自己当小孩重新养成，这令我在四十岁依然保持对万物的好奇心，有一个“好学生”的心态和动力。为了深入这份爱，我写书、读博、到处走访，生活中充满发现美好的欣喜和不断成长、进步的自信。此时的我，比十几二十岁时更具少年气。

希望孩子们也能从传统手工艺文化中获得这份内在滋养和动力，不是说都得“投身”传统，而是养成一种对事物、对世界、对人生的由坚实和诚恳构成的底层逻辑。许多现代科技的灵感都源自这些看似古老、简单的手工技艺，“指尖上的中国”这套书不仅能够帮助我们更好地理解科技是如何从日常生活中发展起来的，也能够让我们对劳动和生命有更多的尊重和敬畏，养成以探索、主动实践的习惯来对抗被投喂与被决定的命运。

现在的孩子一出生便是人工智能接管的生活，大数据算好一切供奉在屏幕上，手指点一点就自动投喂，容易让人忘了自己双手的伟大能力和思维意识曾经创下的奇迹：如何做投枪、渔网来打猎和捕鱼，如何用泥和水做成陶瓷水杯，棉麻植物如何变成衣裳，米面如何变成点心，木材如何变成高高翘起的屋檐……今天人类的知识更渊博了，对生活中万物的来历却更无知了。当专业和技能越发细分，人类方方面面的需求逐渐被科技和各种商业体系架空，我们的未来是否会以人工智能和大数据的逻辑来生成？

如此，推广传统手工艺文化的意义就更为深远了。我在编写这套书的时候，也自觉不要陷入怀旧主义，而是带入自己从学习、内化再到行动的经验，强调用双手造物的进程是如何塑造人、塑造人类文化的。

一门手艺，往往要从认识原材料开始。它产于何地？为何某地出产的原料会优于其他地方？然后是设定目标。要做成什么东西？要有什么形状？要不要有装饰图案？要有什么样的功能？在以往的文化体系中，有哪些可以算作“好”的标准？接下来是动手，采用一定的工艺去实现它。无论是捶打、编织还是雕刻，手上的技术都需要日积月累的训练，才能依据材质的属性，选择相宜的力度、角度去操作，做到手眼协调，大脑身心能和谐有机地配合自如。如果要使用工具，还要知道怎么设计和使用工具，要有借力的智慧，有解决问题的耐心，以及每一步都不能偷工减料和投机取巧的诚实，因为结果没有侥幸。另外就是心无旁骛的专注力和不屈不挠的持续力，追求精益求精，必须要有一定的意志力。如果需要其他人配合，还得有沟通能力和团队协作能力……马克思说，劳动是人的本质的对象化，一个人想成为一个什么样的人，几乎都可以在他的劳作中呈现出来。

手工劳动是一个塑造人格品质的漫长过程，而且最终将沉淀在对世间万物的感知里。

手艺的背后是人类生存的方法与技能，在方法与技能的背后是人对自然的了解，对人类需求的关怀与满足，是人类继承过去、创造现在和未来的万丈雄心。人的自我是在支配力的一次次有效释放及其反馈中建立的。人在利用自然、手工造物的过程中，不仅实现了人类的生存和发展，也逐步积累了经验和知识，确定了秩序、规则和方法，获得了判断力、尊严和自信。

最后，还要谈到爱。爱与深刻的理解有关系，爱的能力也跟见识、眼光有关系……对一件事了解得越深，爱的程度也越深，对自己和他人，对人生和世界的态度，也都根深于此。

浅　草

2024 年 12 月于南开大学北村

目录

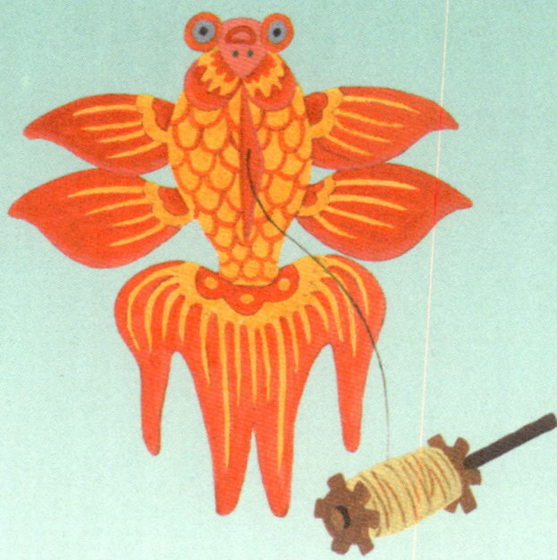

风　　筝

关于飞翔的古老梦想

你是否做过这样一个梦：张开双臂，乘风而起，在天地间翱翔，俯瞰屋舍、高山和海洋？

飞行，是人类长久以来的梦想。现在，人类可以乘坐飞机跨越晨昏和两季，甚至能够搭乘宇宙飞船去到大气层之外，探索浩渺星空。但在还没有飞机和宇宙飞船的年代，人们靠什么来实现飞向天空的梦想呢？千万别小看那些飘飞在蔚蓝天空下的风筝，它们就是人类最早的飞行器。

在2000多年以前的春秋时期，有个很会做手工的思想家墨子，他曾用木头制作了一个初级飞行器——木鸢（yuān），这只可以飞上天的木鸟，被人们认为是风筝的众多起源之一。

古代人把风筝称为纸鸢或纸鹞（yào），而鸢和鹞都是善于滑翔的鸟，所以风筝也可以看作是人们崇拜飞鸟、模拟飞鸟的产物。和鸟儿的起飞原理一样，风筝之所以能飞上天空，借助的是一种无处不在的事物——空气。放飞风筝时，人们拉着绳子助跑，就是在利用绳子的拉力让风筝与空气产生相对运动，得到向上的升力。正是这样一个看起来很简单的原理，让薄薄的风筝、轻盈的鸟儿逆风向上，也让几十吨甚至几百吨的飞机腾空而起。

最初，风筝还被用来在两军打仗的时候传递情报。相传，那时的大风筝还能带上火药甚至人一起飞。在一本叫作《南史》的古书中，就记载了梁武帝被敌人围困，利用纸鸢向外发送求救信号的故事。到了晚唐时期，为了引人注意，人们在纸鸢上装了一种竹笛，放飞时会迎风发出声响，像是在弹奏筝这种乐器，于是纸鸢便有了“风筝”这一名字。

随着造纸技术的成熟，风筝越来越轻巧，到了宋朝，风筝走进千家万户，成了孩

子们的玩具。在追忆南宋都城临安城市风貌的《武林旧事》一书中就有记载，西湖边的少年们发明了风筝的新玩法，让风筝相互勾缠绞斗，以剪裁、切断对方的风筝线为胜，这样的竞技、绞斗，让风筝变得更好玩了。尤其是三四月份风大的时候，孩子们经常要玩到太阳快落山才回家。你一定听过这首诗：

草长莺飞二月天，拂堤杨柳醉春烟。

儿童散学归来早，忙趁东风放纸鸢。

这是清朝诗人高鼎的《村居》，诗中描写的就是小朋友早早放学，趁着东风放风筝的情景。

明清时期，风筝的制作工艺受到绘画和陶瓷工艺的影响，越做越高级，越做越漂亮。著名古典小说《红楼梦》的作者曹雪芹，还专门编写了记载风筝扎、糊、绘、放等工艺的《南鹞北鸢考工志》一书。

传统风筝的式样很多，有鸟形风筝（燕子、喜鹊、鹰等），有虫形风筝（蜻蜓、蝴蝶、蜈蚣等），还有人物风筝（孙悟空、雷震子、胖娃娃等）。从结构上看，又可以分为硬翅风筝、软翅风筝、板子风筝和串式风筝等。

只要看看风筝的翅膀，就能区分出硬翅风筝和软翅风筝。硬翅风筝的翅膀边缘是固定起来的，由于中间凹，翅尖向后倾，平放着看就像两头翘起的元宝，所以也被称为“元宝翅风筝”。软翅风筝的翅膀下端没有依附物，可以随风飘动，很适合做成鹰、蜻蜓、蝴蝶等造型。板子风筝则是平的，四周有竹条支撑，没有凸起的部分，常常用来表现脸谱、双鱼、青蛙等形象。那些像冰糖葫芦一样串在一根线上放飞的风筝，就是串式风筝。常有风筝艺人用很多相同或不同的小风筝串联在一根或多根线上，去模拟龙、群蜂等在空中飞舞的样子，放飞时气势宏大。

流传至今的风筝里有许多经典的样式，风筝制作也形成了多个著名的技艺流派。最有名的要数北京风筝、天津风筝和潍坊风筝了。

软翅风筝

硬翅风筝

板子风筝

北京风筝种类众多，现存的一本《北平风筝谱》里就记载了200多种。在众多的北京风筝里，最具代表性的是沙燕风筝。沙燕以展翅飞翔的燕子为原型，夸张舒展的翅膀和尾巴，形成了一个优美的“大”字。北京有句童谣：“肥比男，瘦比女，雏燕是孩童，双燕比夫妻。”说的就是沙燕风筝里有胖有瘦，有大有小，还有两只燕子比翼齐飞的造型。

天津风筝有个绝活儿，不仅能飞，还能折叠。在清代以前，风筝是一体的，不能拆分。天津的风筝艺人运用打眼、扣榫（sǔn）、锡焊等工艺，使体积较大的风筝也可以折叠自如，大大方便了收藏和携带。

潍坊风筝早在明清时期就享有盛名。著名的“麻婆献寿”“五福临门”等风筝样式还曾传入皇宫，得到皇家的欣赏。潍坊风筝

沙燕风筝（单燕）

沙燕风筝（对燕）

龙头串式风筝

里名为“龙头蜈蚣”的大型串式风筝更是做工复杂，单扎制就要上百根竹片。从古至今，潍坊风筝一直在长度、面积、精巧程度等技艺上刷新着纪录。2003年，潍坊的风筝艺人杨云胜曾扎制了一只长约300米、重100多公斤、面积800多平方米的“眼镜王蛇”风筝，一度成为世界上放飞的最大的风筝。2006年，风筝艺人马庆华在潍坊一次放飞了43只风筝，创造了单人同时放飞最多风筝的吉尼斯世界纪录。

潍坊风筝得到了很好的继承和发扬。1988年，潍坊市被确定为“世界风筝之都”，每年四月的第三个星期六还被确定为“潍坊国际风筝节”，每年的这一天，来自世界各地的风筝爱好者，会欢聚在潍坊比赛技艺，他们放飞大大小小、各色各样的风筝，让千百年来自由飞行的快乐在天空中延续。

指尖工坊

风筝有“四艺”

想当一名合格的风筝手艺人，必须熟练掌握制作风筝的十几道工序，那得花很长的时间学习。对初学者来说，学会了扎制、裱糊、绘制、放飞这四项基本的技术，也能够做出一只属于自己的风筝来。

你想做什么样的风筝？一只燕子，一条金鱼，还是一架飞机？决定好了，就可以在纸上画出草图。也可以去搜集一些现成的风筝图纸，这些图纸已经设计好图案并且标注了尺寸，照着画会容易些。

1. 扎制

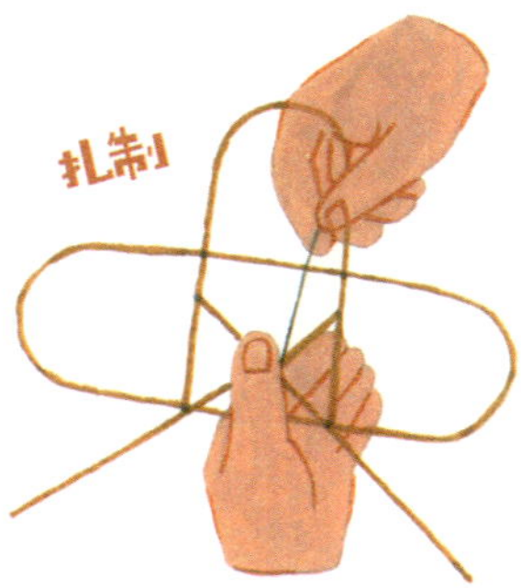

画好草图后，准备扎风筝的骨架。芦苇、竹子、木条等都可以作为骨架的材料，以竹子最为常见。工匠们会将采来的圆竹截成长度适宜的竹段，将竹段顺着纹理劈开制成竹板，再用刀刃或木工刨子等工具削刮竹板，去除毛刺，就能得到粗细合适的竹条。

当我们根据图纸绑扎竹条的时候，会发现有些地方需要弯曲。竹条的柔韧性好但弹性大，不易固定，而让竹条乖乖听话的窍门就是加热。均匀受热后的竹条更容易弯曲，弯曲后冷却就能够定形。

再就是用线绑扎牢固。扎骨架的基本要求是“相对软硬，完全对称”。除了用线绑扎，技术高超的风筝手艺人还会使用扣楔、活头和插接等复杂一些的技艺。

2. 裱糊

扎好骨架后，要开始裱糊风筝。南方的风筝手艺人把这道工序称为“蒙面”。常用的裱糊材料有绵纸、宣纸、皮纸、绢或绸。用的胶多是乳胶，也可以用糨糊。裱糊的方法有两种，一是将纸或其他材料包贴在竹条的四面，也就是“包边”；另一种是将纸或者其他材料包贴在竹条的两面，待乳胶或糨糊干了

之后，将多余的地方裁掉，这种方法叫“裁边”。两种方法都要求裱糊平整。

3. 绘制

绘制风筝的方法有两种，有绘制好了直接裱糊上去的，也有裱糊后再上色的。一般来说，手艺人在绘制纹理之前要先上底色。为了使着色均匀，大面积的绘制一般是先用板刷沾上水，在纸上均匀地刷上一层后再着色。底色上好后可自然晾干，也可用熨斗烘干。然后再用毛笔等勾勒出线条，完善细节。

4. 放飞

检验成果的时候到了，我们做的风筝真的能飞起来吗？在风筝骨架的相应位置绑上提线，找一块开阔的场地，试着放飞风筝吧，这将是最激动人心的时刻。

一手提住提线，一手持线轮，接下来我们要做的，是等一股风。辨明风向和风力很重要，要趁势将风筝放出，再就是要边抖边放线，克服风的扰流，让风筝越飞越高。当风小了，风筝缓慢向下坠时，可以往逆风的方向跑动，边跑边快速收线。这样，增大了空气对风筝向上的压力，风筝便会再次上升。

皮 影 戏

流传千年的光影艺术

无论是日光、月光还是灯光，都会产生影子，动物有影子，人有影子，花草树木都会投下漂亮的影子，影子无处不在，这是光的性质决定的。

你玩过影子游戏吗？找个月朗星稀的晚上，拉上窗帘，只留一盏灯在屋子中央，把手放在灯光前，便可在墙上或者屋顶上投下手的影子。这个时候变换手势，可以用手影模拟出飞鸟、兔子甚至人形，摇动手，兔子和飞鸟就跟着跑起来、飞起来。还可以给它们配上声音和音乐，自导自演一部影子动画。

从最初的巫术仪式“弄影人”，到后来世界上最早的“手动电影”——皮影戏，可以看出，人类自古以来便对这样的光影游戏着迷。

和电影一样，皮影戏也是一种光影艺术。皮影戏也叫影子戏或灯影戏，通过光的照射使兽皮或者纸片做成的剪影，投映在白色的幕布上。皮影艺人在幕布后操纵皮影的动作，再配合音乐念唱，就可以将手中代表着英雄美人、妖精鬼怪、花鸟虫鱼、飞禽走兽的皮影演得活灵活现。

皮影戏起源于中国，关于它的诞生，还有这样一则故事：在2000多年前的西汉，当时的汉武帝刘彻十分思念去世的李夫人（也有人说是王夫人）。一个叫李少翁的大臣灵机一动，想到了帮助皇帝缓解思念的办法。入夜后，李少翁搭设帷帐，放置好灯烛，在帐幕后用裁剪的影人造像，请皇帝坐在帐幕前观看。在摇晃的烛影中，皇帝看到帐幕后隐约有李夫人的身影翩然而至，后又徐徐远去。汉武帝看得入迷，凄然写下“是耶？非耶？立而望之，偏何姗姗其来迟！”姗姗来迟这个成语就是出自这里。这个隔帐造影的故事在《史记》《汉书》里都有记录，被认为是皮影戏的渊源之一。

皮影戏在北宋时期开始繁盛，这一时期，演出的场所、影人的制作和伴奏班底都更加成熟了，演员们已经能表演多种剧目，除了神怪传说，还有从史书里演义出来的王权兴废和英雄人物的故事等。据说，在13世纪的时候，皮影戏还成了随军娱乐项目，随着蒙古军西征，传到了如今的伊朗等西亚地区。

到了清朝，皮影戏风靡全国。在民间，有大大小小的皮影戏班在各个城乡流动演出，逢年过节、喜庆丰收、祈福拜神、嫁娶宴客时，人们都爱请皮影戏班子搭台唱戏，有的皮影戏还被编排成“连续剧”，要通宵演出，甚至连演十几天。许多王公贵族和富绅还雇用或创办了自己的影班，皮影戏成为他们日常娱乐、招待客人的热门项目。可见，皮影戏艺人在当时是很受欢迎的职业，深受民众喜爱的皮影戏明星甚至有机会出入宫廷。

皮影戏在代代相传的过程中，孕育了难以计数的职业艺人，其中不乏身怀绝技者。在山东泰安就有一种叫作“十不闲”的皮影技艺，操纵、伴奏、演唱全都由一人负责，“脑里想着词儿，嘴里唱着曲儿，手里舞着人儿，脚下踩着槌儿”，五官、四肢、头脑一刻都不能闲着。

皮影戏演出的关键是影人。一出皮影戏，需要十几个甚至上百个人物，一个皮影剧团呢，就得备上成百上千个影人。影人的个头儿有大有小，小的只有巴掌大，大的则有一米多高。每个影

人的头、躯干和四肢等都是分开制作的，连接的部位都是可以活动的，最后再缀上几根细杆，供皮影艺人操作。我们在皮影戏里看到的腾云驾雾、上天入地，还有换脸、变身等绝活儿，功夫就下在这几根小小的“耍杆”上。

你知道吗？皮影戏中的人物和戏曲一样，也有文武之分。鼻子尖嘴巴小的，一般是秀气的文生或少女，而蹙眉瞪眼的，很有可能是八面威风的武将……各种角色的脸谱和服饰都是参照原著小说、民间传说或戏曲脸谱精雕细刻而成的，是善是恶，是忠是奸，往往观众一看便知。

除了人物，像兵器——关公舞的青龙偃月刀、岳飞使的元帅剑，像背景——孙悟空和红孩儿打斗时的火云洞，像动物——老虎、蝎子等大大小小的飞禽走兽、昆虫游鱼，还有城门、车船、桌椅、纱帽、茶酒、果蔬，生活中的一切，几乎都可以在皮影的舞台上再现，这些人物之外的道具和背景在皮影戏中统称为砌末。

皮影人物们的舞台是一块被挂起来的幕布，因为四边带框，看起来像一扇白色的窗户，所以又叫影窗。比起现代的大舞台，影窗实在是小得可怜，但就在这扇小小的窗户上，却能“一口述尽千古事，双手对舞百万兵”，生出万般的变化来。这一切都归

功于影窗后的皮影艺人，不管是几乎包揽所有角色唱念的“二人班”，还是操纵、演唱、念白、伴奏分工明确的十几人的戏班，在与观众一幕之隔的空间里，有着忙碌却毫不慌乱的默契：皮影艺人们一边熟练操控影人的耍杆，一边变换嗓音，给各个行当、不同角色的影人配音、配唱，同时进行乐器的演奏，有些影戏还需要借助一些“特制的工具”完成喷火、云雾等特效，营造逼真的感官体验。

从最初的蜡烛、油灯、汽灯，再到如今的白炽灯甚至 LED 光源，随着科学技术的发展，皮影戏的舞台、道具等也同人们的生活一道低调地演变着。虽然皮影戏已经无法复制当年的繁盛，但一张张皮影背后凝结的皮影艺人的聪明才智，一次次皮影演出给观众带去的心灵的满足和安慰，得以在时光中获得永恒。目前，中国皮影戏已经被纳入联合国教科文组织非物质文化遗产名录，希望这一令人惊叹的光影艺术，可以在一代又一代的传承中，获得更加蓬勃的生命力。

指尖工坊

可繁可简的皮影制作

皮影的制作大体需要七道工序：

1. 选皮、制皮。一般会因地制宜，选用驴皮、牛皮、羊皮等。像我国华北地区养驴子的比较多，常采用驴皮，所以也称皮影戏为“驴皮影”，而西北地区多选用牛皮。制皮可不是件容易事。直接用毛茸茸的牲畜皮肯定是不行的，要达到皮影绘制和雕刻的要求，需要对动物皮进行泡、刮、绷、打磨等一系列处理，才能得到干爽平整的半透明皮子。

2. 画稿、透稿。做皮影之前，要将影人的脸谱、服饰、道具等图案画在纸上，一般都是画侧面像。由于加工好的皮子是半透明的，可以直接将图稿放在皮子下面，再用工具在皮子上描绘出来。如果皮子不够透，还可以用灯光照射来辅助。

3. 雕刻。皮影雕刻是很讲究的，光刀具就有宽窄不同的平刀、斜口刀、圆刀、花口刀等。一般分为阴刻和阳刻，用虚线去镂空线条的方法叫作阴刻，保留线条挖去面的方法叫作阳刻。一件细节考究的皮影，往往需要变换各种刀法，刻上几千刀才能成形。

4. 上彩。待影人雕刻完成，经磨平打光后就可以上色了。要想着色均匀，可以使用粉质较少的透明水彩。直到现在，仍有手艺人会用植物或者彩色的矿石制作自己的独家颜料。上彩是一道重要的工序，一定小心精细，因为皮料上了色是不能涂掉的。

5. 脱水。要想让颜色浸染到皮子里，就需要加热。传统的方法是将两块平整的砖加热，将影人用布衬好夹在中间，或者用薄木板夹住压在热炕席下。如今也可以用布包好，直接用烙铁或者电熨斗加热，但加热的温度是关键，温度过高会破坏皮子，功亏一篑。

6. 缝缀。一个完整的皮影

人有头、大臂、小臂、手、上身、下身、双腿等十几个部件，这些部件要在结合的地方穿孔，用线缝制到一起，好让皮影人的关节活动自如。

7. 装杆。皮影人缝制好后，一般会在脖子和双手处装上操作杆。安在脖子上的是主杆，安在手上的叫手杆。操作时，一手拿主杆，另一只手拿两根手杆，皮影艺人用这三根杆子就能表演出腾空、挪动等各式各样的动作。

七巧板

从拼桌游戏到指尖玩具

抬头看看周围，我们身边的桌椅、窗户，还有屋外的楼宇、公路，无不是由无数个基本形状构成的。有个玩具就有这样的“天赋”，能够将你身边随处可见的事物，通过方形、三角形、梯形这样简单的图形组合神奇地再现出来，这就是“七巧板”。

古人的拼桌游戏

就像苹果砸中了树下的牛顿，启发他得出万有引力定律，七巧板的发明也是源于对生活细节的关注。

据说，宋朝有个叫黄伯思的大书法家，平时喜欢在家里宴请宾客，但客人时多时少，每次需要的桌子大小也不同，他对几何图形很感兴趣，就想，能不能设计一种可以变化形状和大小的桌

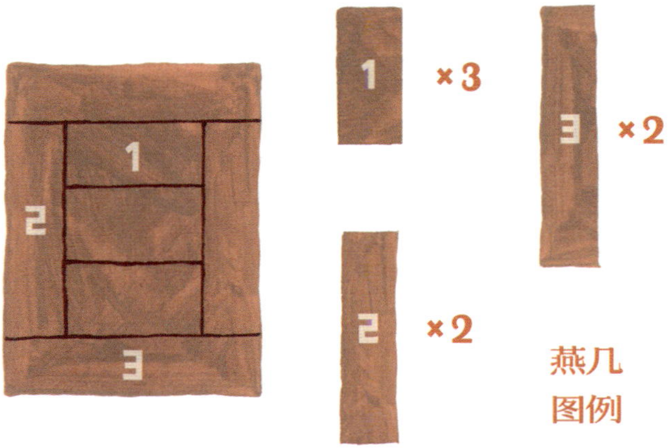

燕几图例

子呢？最初他设计了大、中、小3种规格的长方形条案，每种规格各做2件。这6张条案可以根据就餐的人数自由组合，摆成正方形、长方形，甚至可以摆出“回”字形，中间放置烛台等装饰品，增加宴饮的雅趣。不宴请的时候这些条案可以用作书桌，或者陈列书籍、文具等，使用起来就方便多了。

黄伯思的朋友非常欣赏他的这个发明，提议在这基础上增加1个小条案，以增加变化，黄伯思接受了这个建议，他将这7张桌子的组合命名为“七星”，还专门编了一本《燕几图》（在古代，“燕”通“宴”，“几”有桌子的意思），将“七星”的76种组合一一画出。

这些拼桌游戏，既有实用性又有趣味性，受到文人雅士的欢迎。到了明代，仍然有人在玩这样的“拼桌游戏”，不过用的是13张异形的桌子，名为“蝶翅几”。蝶翅几用到的是梯形和三角形：相同的等腰梯形2个，左右对称的直角梯形各2个，大、中、小号的等腰三角形各有2个、4个和1个，蝶翅几不仅能拼成正方形和长方形，还可以拼成菱形、马蹄形等千奇百怪的形状，并

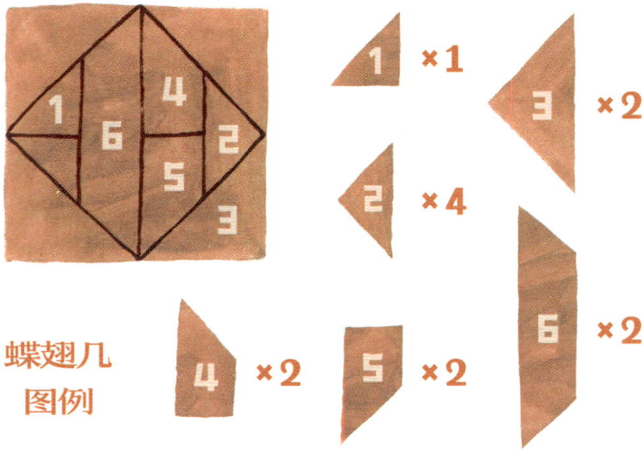

蝶翅几
图例

且增加或减少桌子的数量，还能拼出形状相同但大小不同的“子母桌”。蝶翅几变幻万千的组合都被明代的戈汕记录在《蝶几谱》这本书里。

作为家具流传下来的燕几和蝶翅几极少，主要是因为太难做了。只有每件条案的高矮相同，而且边缘没有误差，才能无缝拼接。反而是记录这些“拼桌”组合的平面图，逐渐演变成了像“七巧板”这样轻巧方便的平面拼图游戏，进入千家万户，给人们带来开发脑力的乐趣。

风靡世界的指尖玩具

有资料记载，七巧板在清朝就已经流行了。在《冷庐杂识》

《七巧八分图》等清代的书籍中，就提到可以将七巧板拼成日月山川、鸟兽虫鱼等上千种图形。小小木板，随手变幻，就足以解闷，所以很受人们的欢迎，在清代民俗画家的笔下就有妇人玩七巧板的图画。清朝后期，七巧板还成为皇宫中的娱乐项目。至今，故宫博物院还保存着嫔妃和皇子们玩过的七巧板呢。据说，道光皇帝的一位皇后，聪慧伶俐，入宫后，她仿照民间常见的七巧板样式，将木片削为若干块，排成吉祥语“六合同春”四个字，在新年里，十分应景。

七巧板在清代还发生了有趣的演变，当时的文人童叶庚就根据七巧板创造出包含15块图板的“益智图”。相比七巧板，他发明的“十五巧板”包含了方、圆、曲、直、尖、斜等变化，排列组合更加丰富，能拼出更多的图样和文字。

18世纪，七巧板传到国外，立刻引起了外国人的兴趣，外国友人给它取名叫“唐图”，意思是“来自中国的拼图”，他们认为这和中国建筑师用在窗户上的丰富几何图案有关。在流传的过程中，这类拼图游戏不断发展和改造，衍生出德国多巧板、日本七巧板、圆七巧板等众多的“拼板兄弟”。

直到现在，七巧板仍然是生活中常见的游戏，它不仅可以作为老少咸宜的消遣，还广泛应用在教学和工作中：学生们可以用它做数学练习，通过七个图形来形象地学习等积变换和出入相补等几何原理，使学习不再枯燥；设计师用七巧板设计家具；心理学家用它做智力测试……在荷兰著名汉学家高罗佩的推理小说《大唐狄公案》中，七巧板还成了破案的重要线索，帮助书中的神探找出了真凶。

古人的七巧板蕴含着无穷的奇思妙想，与华容道、九连环等其他传统益智游戏不同的是，七巧板的奥妙不在于解决某个难题，而是提供无限的可能性。通过翻转手里的小小形状，就可以摆出飞禽走兽、鱼虫花鸟、亭台楼阁，几乎可以模拟出世界上的任何景物。七巧板所创造出来的世界，证明了中国人自古以来就有着不可思议的想象力。

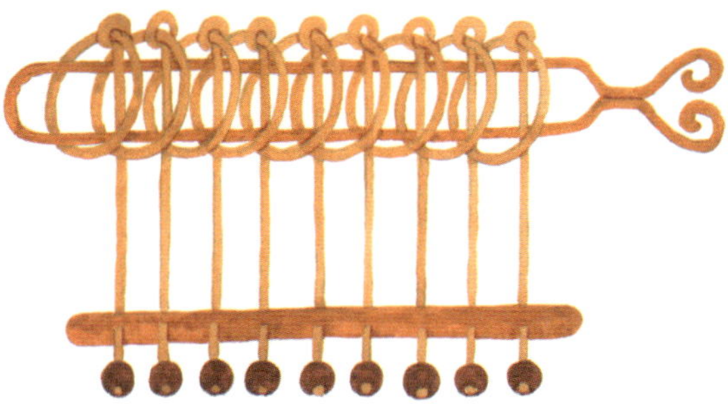

指尖工坊

【简易七巧板】

除了好玩、有趣，取材和制作简单也是七巧板受到欢迎的重要原因。制作七巧板的材料有很多，常见的有塑料板或者薄木板。在最简单的情况下，一把剪刀和一块硬纸板就可以制作出一组简易七巧板。

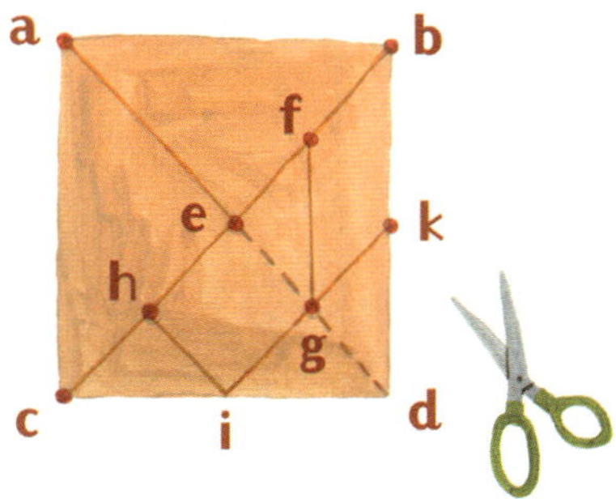

先剪出一个正方形的硬纸板。参考上图，画出两条对角线 ad 和 bc，两条对角线交于 e 点，e 和 d 之间用虚线。取 bd 的中点 k，cd 的中点 i，连接 k 和 i，交 ad 于 g 点。取 ce 的中点 h，eb 的中点 f，连接 h 和 i，连接 f 和 g。

除了 ed 这段虚线不能剪开，沿着其他线，按任意次序剪开，就可以得到一副七巧板了，还可以按你的喜好用彩笔或者颜料上色。

发现了吗？七巧板的“巧”就隐藏在它的制作过程里。正是因为对正方形的巧妙切割，从而形成了七个形状之间巧妙的边长比例和角度关系。

拨浪鼓

拨动童心的小鼓

几乎每个中国人在婴儿时期都玩过拨浪鼓，咚咚咚！婴儿被它的声音吸引，转动眼珠寻找声音的来源，这样的反应让爸爸和妈妈感到快乐。就这样，拨浪鼓成为父母和孩子之间最早的互动游戏之一。

这样小小的拨浪鼓却有着异常久远的历史，它是“鼓”家族的一员，而鼓是人类最早发明的乐器之一。在古代，鼓不仅可以用来敲击奏乐，还是帝王或贵族在进行祭祀等礼仪活动时的礼器，是身份和地位的象征。鼓还能用来指挥部队前进和冲锋，在战场上，不断敲击的鼓声，能够持续地鼓舞将士们的士气。相传，拨浪鼓的前身鼗（táo）鼓，就是5000多年前的上古帝王帝喾（kù）在平息战乱时创制的。

击打大鼓时，总是需要特定的场地安放鼓面，为了演奏更加便利，古人给小鼓装上手柄，两侧各固定一根短绳，绳的末端系上小珠，制成鼗鼓。当来回转动手柄的时候，绳珠反复甩动击打鼓面，就可以随时随地听到“咚咚咚”的鼓声。这样来看，几千年前的鼗鼓，形制和今天的拨浪鼓已经没什么两样了。

至于最早的鼗鼓是什么时候出现的，现今已经找不到实物遗存去考证了，不过我们可以在一些现存的商周时期的青铜器上找到它的影子。

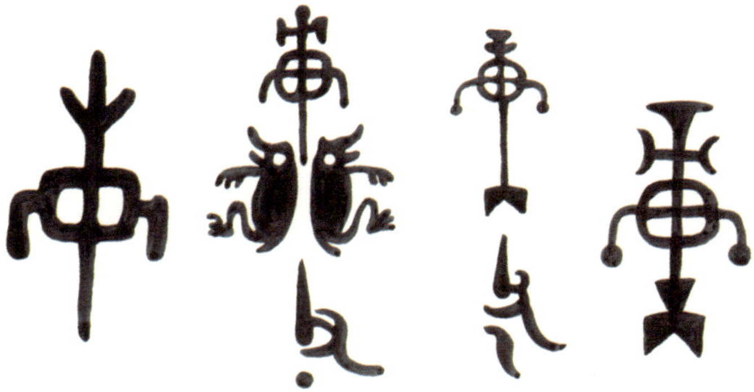

青铜器上的“鼗”

观察这些铭文会发现，它们都有着细细长长的柄，中间的圆形标示着鼓面，左右垂下的两笔最为形象，代表着拨浪鼓两侧的小珠子，仿佛转动手柄就能够发出声响。这些刻在青铜器上的鼗鼓形象，实际上是商周时期某个家族的族徽，它们被标记在家族使用的器物上，以彰显家族的荣耀。

根据鼗鼓的功能，我们推测，在将鼗鼓作为家族标记的“鼗族”中，可能就有负责执礼册命的史官或者负责鼗鼓演奏的宫廷乐师。因为有文献记录，先秦时期的天子在举行册命典礼的时候，负责册封的官员就是手执鼗鼓来宣布天子的命令。在王室和贵族的庙堂祭祀中，也有专门负责演奏鼗鼓的乐师。

在先秦文献中，鼗鼓还有更详细的分类，例如祭天神用的“雷鼗”、祀地神用的“灵鼗”和祀先祖用的“路鼗”。文献中记载，

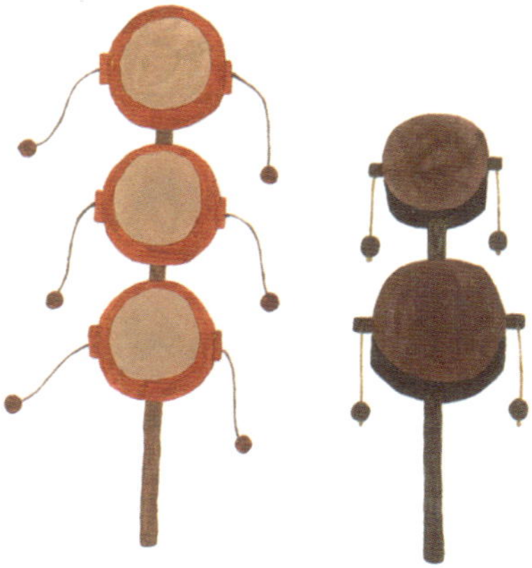

“雷鼗”“灵鼗”“路鼗”分别是8面、6面和4面的，你能猜到它们长什么样吗？

在商周时期的青铜器上，鼗鼓还只是“孤零零”的铭文。从留存至今的壁画、画像石或画像砖上可以看出，到了汉代，鼗鼓已经出现在演奏者和舞者的手中，成为乐舞百戏的重要道具。乐舞百戏是一种融诗、歌、舞为一体的艺术表现形式，往往包括翻跟头、倒立、柔术等高难度动作，在汉代十分流行。在河南出土的一块画像石上，就绘制着乐舞百戏图：画面左侧的三位乐师，左手持排箫，右手持鼗鼓，演奏时一边吹排箫一边转动鼗鼓，

壁画中手持鼗鼓的飞天

动作一致。这说明，那个时候鼗鼓已经是常见的表演乐器了。

西汉乐舞百戏图（河南唐河电厂出土）

除了作为礼器和乐器，拨浪鼓在宋代时还成了货郎们叫卖的工具。在南宋李嵩的《货郎图》中，就有手持拨浪鼓招揽生意的货郎形象。在货郎挑着的货架上，还斜挂着一只由四面小拨浪鼓横竖交叠而成的拨浪鼓，四面小鼓自上而下逐级变大，每面小鼓的两侧都有系着绳的小珠。一般来说，拨浪鼓的鼓面越大，声音越低沉；鼓面越小，声音越清脆。如此组合而成的拨浪鼓，摇动时的声音一定是高低错落，富有层次。可以想象在宋朝，小孩子只要拿着铜板上街，便可以买到这样设计精巧的玩具了。

在后来的几百年间，拨浪鼓一直是货郎们的标志之一，甚至被称作“货郎鼓”。在通信和交通尚不发达的年代，货郎们挑着担子走街串巷，叫卖针头线脑、胭脂香粉、玩具零食等小商品。拨浪鼓“波浪、波浪”的响声代替了货郎的吆喝声，带来了大人

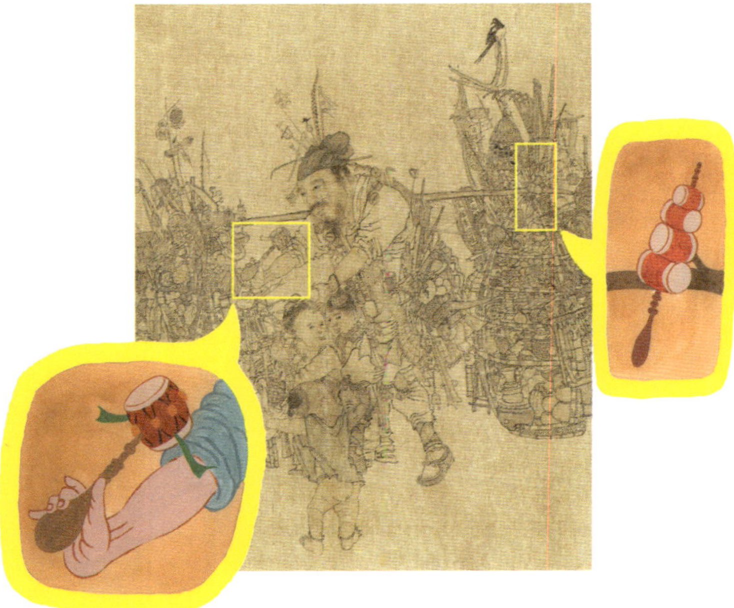

南宋李嵩《货郎图》(局部)

们的方便，也是旧时孩子们最为期盼的声音。声音悦耳、样子活泼的拨浪鼓也一直吸引着孩子们，成为最古老、最经典的音响玩具之一。流传至今的拨浪鼓和它诞生之初的样子，差别并不太大。全国各地都有特色鲜明的拨浪鼓：北京的拨浪鼓，鼓身是净色的，鼓面多印制年画；河南淮阳的拨浪鼓，喜欢在鼓身上装饰花纹，鼓面多用羊皮原色；天津的拨浪鼓，保留了传统大鼓的风范，鼓身用红漆涂染，鼓面则是羊皮的。

如今，我们也可以运用身边的材料，亲手制作一只简易的拨浪鼓。比如，可以用酸奶瓶、塑料筒或装薯片的纸筒剪接成圆环状的鼓身；用纸或气球包住鼓身的两个圆形面做鼓面；准备两条鞋带或者绳子，并在鞋带或绳子的一头粘上纽扣或者系上木珠子做鼓耳；用胶水将鼓耳固定在鼓身上，再找来木棒做鼓柄。等制作完成后，摇一摇，听听这只专属于你的拨浪鼓会发出怎样的声音吧。

指尖工坊

制作小鼓的大学问

传统的拨浪鼓都是由手艺人亲手制作的，别看它只是小小的玩具，它的鼓身、鼓面、鼓耳、鼓柄这四个部分都包含着手艺人的匠心。

传统的鼓身多是木制的，又以用椿木的居多。先将砍下的椿木削成不同尺寸的木头块进行晾晒，然后在木头块上用笔描绘出拨浪鼓的形状，再用锯子等工具加工。传统的鼓身以圆环状的居多，圆环上要钻一个1厘米左右的孔，用来安装鼓柄。加工成形的鼓身还要用砂纸打磨，然后用颜料上色。

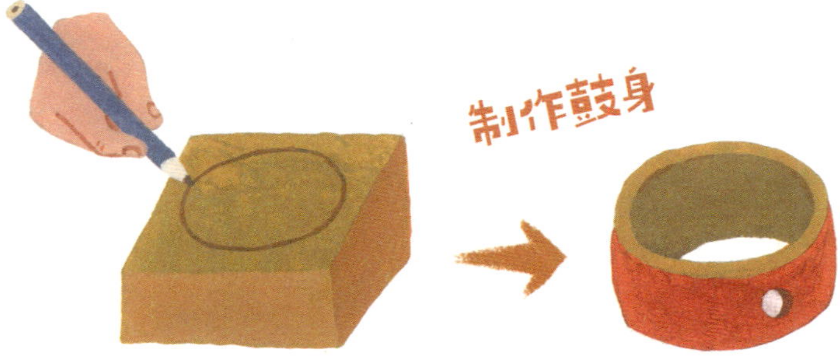

鼓面用羊皮、牛皮、蛇皮或纸制成，其中又以羊皮面的拨浪鼓最为典型，因为羊皮摸起来更为柔软舒服。手艺人将晾晒加工好的羊皮裹在圆环鼓身的两头，抻拽平整后，用铆钉固定四周。

鼓耳最常见的材料为玻璃珠，也可以用酸枣核、木珠、瓷珠等材料制作。用麻绳或棉线穿过其中，固定在线绳的

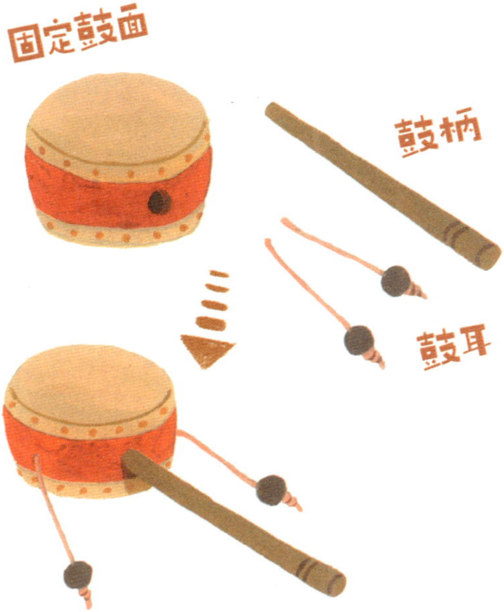

一头，再用铆钉或者胶将线绳固定在鼓身的两侧，一般位置要对称。

鼓柄多是木头削成的木棍。木棍要用瓷片或者砂纸打磨好然后再上漆，有的还要抹上蜡油。鼓柄也有变换花样来做的，像是竹节的或者葫芦节的。将鼓柄固定在鼓身的小孔中，一只拨浪鼓就制作完成了。

竹玩具

最亲切的竹子，最快乐的梦想

竹子可能是中国人最喜爱的植物之一了，城市或乡村的宅前屋后，都少不了要种一些竹子。中国人喜爱竹子，大概是受古人的影响。竹子因外直中空、虚心有节，被古代文人视为刚直、谦逊的清高之物，它和高洁的梅花、空灵的兰花和清贞的菊花一起，并称为“四君子”，寄托着从古至今的高雅之士对美好精神品质的向往。

除了常常出现在文人墨客的诗作和画作中，竹子也是居家生活的万能材料。春天的竹笋能吃，长成的竹板能做家具，竹篾和竹丝还能编织成竹帘、竹席、竹篓、竹筐、竹帽、淘米箩等许许多多的生活用品。因为竹子便宜易得，在没有游戏机和电子玩具的年代，

心灵手巧的家长顺手用竹子给家中小朋友做些玩具，也是很常见的事。竹龙、竹剑、竹水枪，还有竹编的蝉、鸟和青蛙等，就曾经引领过一段竹玩具的风潮。

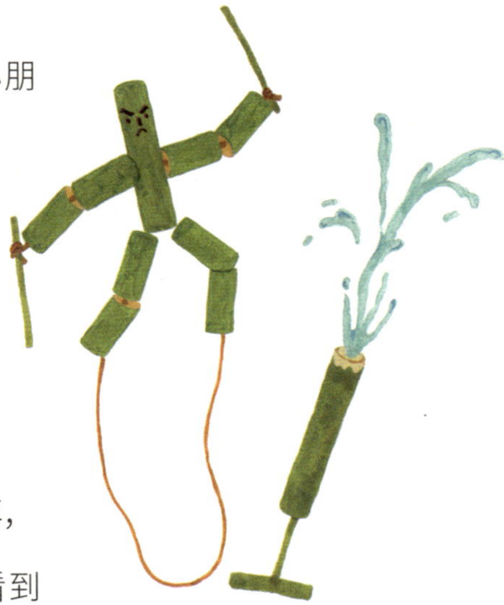

如今，在被金属和塑料材质统治的玩具王国里，竹玩具已风光不再，我们只能偶尔在公园或者学校门口看到挑着担子卖竹笛、空竹、竹蚂蚱等小玩意儿的商贩。这些价格便宜、材料环保的竹玩具，玩起来别有一番乐趣。

中国南方有一首古老的歌谣：“月光光，秀才郎；骑竹马，过莲塘。”歌谣中的竹马就是一种古老的竹玩具，孩子们只需要一根长短合适的竹竿，双腿跨在竹竿上，靠想象就可以拥有骑马的快乐。

以竹竿为马，驰骋世界

骑马是一种令人着迷的活动，古人特地用“驰骋”二字来形容它，不管是战沙场，还是游天下，都给人一种充满豪气和帅气的速度感。小孩子们向往这种活动，而他们的“驰骋”来得更加容易。在很长一段时间里，竹马就是靠着一根竹竿加上孩子们的想象力来游戏的。一直到了宋代，竹马才真正开始有了马的样子。

宋代时，人们用竹篾扎制成骨架，外面再糊纸，用笔墨画上马的鼻子、眼睛和嘴巴，此时的竹马有耳有鬃，威风极了。马头下接上一根长有绿叶的长竹，象征“马身”。孩童用一条带子拴住“马头”，挂在脖子上，游戏时挥舞马鞭，胯下之“马”摇着绿色的竹尾，跟随着骑者的脚步威武狂奔。

竹马不仅是小朋友

的游戏，在不断的演变中，它还发展成一种民间舞蹈形式，被称为“竹马戏”“竹马舞”或“竹马灯”。用于表演的竹马，制作得更为讲究，常见的有前后两截，不仅有竹皮或竹篾扎的马头，而且拥有了漂亮的马尾，和马头一样，会用纸或者菱纱裱糊好，加上精致的彩绘。

竹马表演在许多地方的民间庙会中都可以看到，其中比较有名的要数山西的平遥竹马了。平遥竹马俗称“小竹马”，多由儿童来表演。在演出时，孩子们身穿鲜艳的服饰，头上佩戴特制的头饰，身上系上小铜铃，竹马的马头和马尾分别被固定在他们的前胸、后腰处。在锣、鼓、镲等民间乐器的伴奏下，十几名儿童组成的竹马队手持马鞭，有节奏地小跑，伴随着铃铛声声，犹如万马奔腾。夜间，竹马内还会放置灯烛，表演起来尤为好看。

竹马的游戏一直流传至今，而且不再局限于竹子这一种材质。如果小孩子随手拿起一根细木杆骑在胯下，口中高呼“驾——驾——”，或者大人为孩子买来一端有马头模型，另一端装有轮子的塑料材质的骑马玩具，我们都愿意将它们称为“竹马”，沿用这一饱含着想象力和童真的古老名字。

“T”字形的科学奥妙

竹马，带给孩子们跑的快乐，而另一种古老的竹玩具，则带来飞的快乐，这就是竹蜻蜓。

竹蜻蜓的外形像个“T”字，横的“一”是它的翅膀，翅膀中间连着一根竖的小竹棍，两手合掌夹住小竹棍，使劲儿一搓再一松，竹蜻蜓便会脱手飞出去，旋转着向上，要好一会儿才会落下来。

制作一支竹蜻蜓，只需要一根长度合适的细竹柄，外加一个中间带孔的薄竹片。将细竹柄插入竹片中间的小圆孔内固定，一支竹蜻蜓就成形了。你也许会问，这么简单的小玩意儿，哪里来的“一飞冲天”的本领呢？其中的奥秘，都藏在竹蜻蜓的“翅膀”里。

仔细观察，你会发现，这对“翅膀”并不平，它们是倾斜的，而且两侧的斜面朝着相反的方向，这一对小小的倾斜角就是竹蜻蜓能够轻松起飞的原理。这是古人从昆虫界的飞行之王——蜻蜓那里学来的诀窍。小小的蜻蜓能够在空中忽快忽慢地飞行，时而在空中悬停，时而又180度的急转，那是因为它们能够适应空气

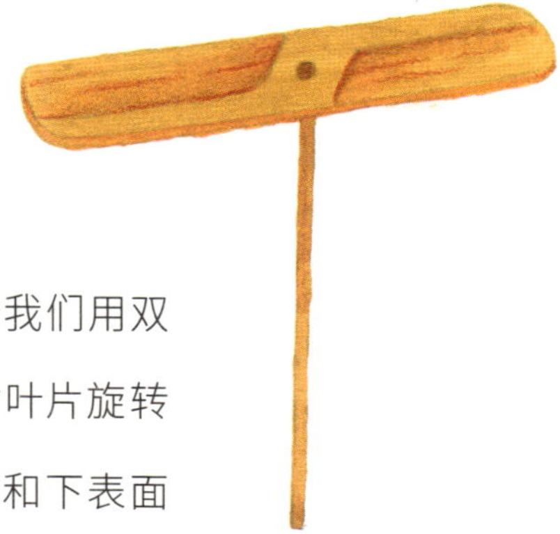

的压力不断地改变翅膀倾斜的角度，这可是连鸟类都自叹不如的本事。竹蜻蜓就是古人观察蜻蜓飞行后发明的。当我们用双手用力搓竹棍，使竹蜻蜓的一对叶片旋转时，叶片的倾角使叶片的上表面和下表面承受了不同的压力，从而产生了压力差，产生了向上升的合力，将竹蜻蜓送上天空。

后来，竹蜻蜓作为玩具传到了欧洲，外国人惊叹于竹蜻蜓的巧妙设计，把它称为“中国螺旋”。18世纪时，人类还没有发明现代飞行器。1783年，法国人第一次用热气球将人带上高空后，科学家们的航空热情空前高涨。竹蜻蜓的形状和飞行原理就给那个时代的航空先驱们带去了很多灵感。飞上天空的竹蜻蜓，因为自身的重力和空气的阻力最终落回地面，如果我们给它配上动力装置，是不是就可以在空中长时间地飞行了呢？英国的航空科学之父乔治·凯利曾经用竹蜻蜓做了一连串的试验，他用铁片代替竹片改制的“铁蜻蜓”，就曾飞到27米的高度，差不多有9层楼那么高。与竹蜻蜓造型相似的直升机，就是在这些科学家们坚持不懈地探索中发明出来的，竹蜻蜓背后暗藏的科学奥秘最终被发掘得淋漓尽致。

比起用塑料、铁、木头等材料制作的玩具，竹子要环保得多。不管是搓动竹蜻蜓旋转起飞，还是骑上竹马忘情奔跑，都能令孩子们狂喜，而且竹子因其坚而韧的特性可以变换成不同的形状，真是做玩具再好不过的材料了。

指尖工坊

【自制竹蜻蜓】

准备好大小合适的竹子或竹片，以及用来切割竹片的小刀和锥子。有条件的话，还可以找一些细砂纸和白乳胶。

首先，制作好长约20厘米，宽约3厘米，厚约5毫米的小竹片，用小刀将竹片里侧加工平整，留用做竹蜻蜓的翅膀。再做出一根长约25厘米，直径3毫米左右的小竹棍，也可以用粗细合适的小木棍代替。

用锥子在翅膀部分的正中心打一个小孔，注意控制孔的大小，要比小竹棍的直径稍小一些。用笔在翅膀的两侧标记出需要削成斜面的区域。

沿着记号用小刀削竹片，使翅膀形成“外低内高”的两个斜面。

处理竹片的四个尖角，让翅膀看起来更圆。

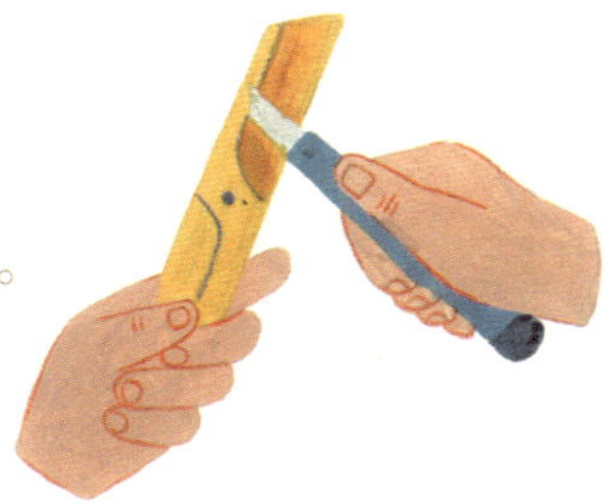

将小竹棍插进竹片中央的孔里。如果有些松动，可以在竹棍顶部

涂上白乳胶后再试试，直到两个部件牢牢地固定在一起。

现在一起来放飞竹蜻蜓吧，可以和朋友们一起制作，看看谁的竹蜻蜓飞得更高、飞得更久。

陀　螺

为旋转而生的舞蹈家

“独脚尖尖腰儿圆，爱在地上转圈圈。”你能猜到这是什么玩具吗？正是陀螺。在汉语中，“陀”是指倾斜不平的山，“螺”是指螺蛳这样的壳状动物，这两个字正好形象地概括了陀螺的外形特点。陀螺上端粗而下方尖，静止时无法掌握平衡，像座倾斜的小山，而旋转起来却很稳，简直是为旋转而生的舞蹈家。

陀螺有许多种，大都是上宽下尖的造型，不过制作材料却各不相同。最常见的是木头做的，也有石制或铁制的，现代的陀螺玩具则多是塑料或金属材质的。各类陀螺的大小和重量天差地别：用手就能转起来的手捻陀螺，个头儿最小；用鞭子抽打着旋转的陀螺，多是巴掌大，也有陀螺爱好者专门制作出大如面盆、几十斤重的大家伙，挑战打陀螺的纪录。如今陀螺的花样更多了，不仅有可以发出“嗡嗡”声响的鸣声陀螺，还有借助发射器发射的陀螺。

陀螺看起来平凡无奇，但却是中国最古老的玩具之一。考古专家曾在浙江余姚的河姆渡遗址、山西夏县的仰韶文化遗址等多地发掘出陶制或木制的陀螺，这些新石器时代的遗物表明，陀螺至少已经有四五千年的历史。可见，即便在艰难生存的远古时期，父母们都还愿意花心思专门做一些玩具让孩子们高兴，这份心意跟现代的父母一样让人感动。

由于历史悠久，陀螺曾经有过五花八门的名字和玩法。在北宋宣和年间的名画《百子嬉春图》中，就可以看到类似陀螺的玩具：一名男孩捏住一个下端尖尖的玩具，在捻动的同时松手，使玩具落在桌面上，和如今的手捻陀螺玩法相似。

据记载，宫廷中还曾经流传过名为“妆域”的游戏，比民间的陀螺更为精致和讲究。妆域是用象牙制成的直径约13厘米的圆饼，正面刻有树、石、人、物等图案，背面隆起且中央凸起处有一根小铁针。用手旋转妆域，即可以“轮转如飞”。宫廷妇女玩起妆域来也很优雅，她们不用鞭子，而是拂动衣袖来维持妆域的旋转。谁的妆域久久不停转，谁就是最终的胜者。

至于“陀螺”这个名字，是在明代时出现的。明代刘侗、于奕正合著的《帝京景物略》一书中，提到一首民谣：杨柳儿青，

放空钟；杨柳儿活，抽陀螺；杨柳儿死，踢毽子……所以，那个时候，陀螺已经成为和毽子、空钟（空竹）一样流行的儿童玩具了。这本书中还记述了陀螺的玩法，包括陀螺“卓于地”时无声旋转，儿童看到陀螺旋转变慢后“掣其鞭”，使陀螺“转转无复往”，甚至观察到

陀螺旋转时“顶光旋旋，影不动”这一细节。我们仿佛能听到鞭子清脆的噼啪声，看到陀螺在明媚的春光中优雅地旋转。

即便是今天，陀螺在全国各地也有好多种叫法，比如尜（gá）尜、干乐、陀子、独溜等。从北到南，从西到东，到处可以看到陀螺的身影。陀螺不仅仅是孩子们的玩具，更成为大人们的一项健身娱乐活动。在北方，人们把陀螺带上冬季结冰的湖面，陀螺一经抽打，便旋转不定，像猴子一样灵活，所以他们也管这项游戏叫打冰猴或者打冰尜。在南方，佤族、壮族、瑶族等很多民族都有在节日赛陀螺的习俗，一些少数民族聚居地还会在正月里举行“陀螺节”。在这个节日里，男女老幼除了聚集在一起观看打陀螺的比赛，还会奏起乐、唱起山歌，热闹非凡。在有“中国陀螺之乡”之称的贵州省南部的荔波县，不仅人人都会玩陀螺，而且能将陀螺玩出酷炫的花样来。这里还有一位能将陀螺玩得出神入化的“陀螺王”——谢友明，他能使陀螺在手掌、指尖上，甚至额头上飞速旋转跳跃，如杂技一般，令人拍手叫绝。

陀螺可以一个人自娱自乐，也可以进行比赛。传统的比赛方法有两种：一是比谁久，用鞭子抽打陀螺后，谁的陀螺先停转，谁就是输家；二是比谁凶，对阵双方将陀螺鞭得飞快，使陀螺相互碰撞，谁的陀螺先被撞倒，谁就是输家。陀螺还被列入全国少数民族传统体育运动会，成为正式的比赛项目。竞赛将以上两种方法结合起来，选手用鞭绳缠绕陀螺，向对方的陀螺撞击，以自己的陀螺旋转时间较长或者将对方陀螺击打出场地为胜。

想让陀螺转得又快又好有两个条件。一个是下方的着地点要细小光滑。在外力不变的条件下，这个点和地面的摩擦越小，陀螺就转得越久。在明代的时候，古人就已经在陀螺底部镶入铁钉了。再后来制作的陀螺，底部一般都会镶入一颗钢珠。另一个让陀螺转得久的条件就是适当的外力作用。事实上，如果不受到地面摩擦力和风的阻力，陀螺可以一直旋转下去。但正因为这些力的影响，我们需要在陀螺身上施加一个反作用力，比如用鞭子抽陀螺，让各种力量平衡。

抽陀螺一般有两种方法。一种是将绳子缠在陀螺自带的凹槽处，然后快速抽走绳子，让陀螺旋转。另一种高技艺的玩法是抛陀螺。用双手将陀螺一搓，抛向空中，待陀螺一落地，就用鞭子抽打，很快陀螺就可以平稳地转起来了。抽陀螺不仅要掌握好力道，鞭子的材质也很重要。一般是用棉绳或细麻绳制成，要足够结实，废弃的自行车内胎也是很好的材料。

随着科技的进步，人们把 LED 灯和音响设备装进了陀螺，这样的陀螺在旋转时，一边闪烁着七彩炫光，一边还发出悦耳动听的音乐，让玩者爱不释手。

陀螺的取材便捷，制作比较简单，而且玩起来不受场地限制，老少咸宜，所以在流传了千年后，它依然充满了生命力，是洋溢着生活气息和浓厚趣味的游戏。

指尖工坊

怎么用木头做个陀螺?

首先，找一个小木块或木棍(墩布把、锹把等)，最好选用硬木。

找到了合适的材料，就可以将木棍锯下一小截，再用刀将木块或短木棍削成陀螺的雏形——一个圆柱体和一个圆锥体的结合，然后再用小刀细细加工，上面要挖出一圈一圈的凹槽，这些凹槽是为了嵌入绳子用的。削圆锥体时，要平衡均匀，不可一边偏重或偏轻，这样做成的陀螺才会转得持久。

接下来，就是用砂纸打磨了。在过去，砂纸不常见，很多家庭就用瓷片或者木贼草打磨。待到表面光滑后，可以将陀螺染成不同的颜色、描绘花纹，或者在陀螺的顶面按比例涂上红、橙、黄、绿、蓝、靛、紫七种颜色的圆环，这样陀螺在不同的转动速度下就会变幻出不同的颜色，旋转超过一定速度时甚至会变成白色，如同太阳光的变化一样。

从古到今，经过改良和创新，已经有各式各样材质和形状的陀螺。你也可以试试设计出自己喜欢的陀螺样式，让古老的玩具和游戏在我们的小手上延续下去。

空竹

细丝上的精灵

如果你不了解空竹，就无法理解它在古代的流行。当年的它，就像现在的滑板一样，是自由和自我挑战的象征。过去，正是空竹声、鸽哨声、吆喝声组成了北京城里最著名的三响。抖空竹，更是街巷胡同里经常能见到的游戏。如今，在一些城市的公园里，还能看到一些老人将抖空竹作为晨间运动，其中如果有技艺精湛的行家，还能将空竹抖出“猴子爬杆”“天犬跃墙”“二龙戏珠”等各种花样来。这些在细绳间上下翻飞的空竹，就像训练有素的宠物似的，引得路人久久地围观。

空竹，多用竹子或木头做成，因为中间是空

的，而且抖动时往往能发出响声，所以它在各地又有一些可爱又有趣的别名，比如空钟、嗡子、响葫芦、风葫芦、响簧、扯铃、天雷公公等，空竹则是大多数北方人的叫法。典型的空竹有单轮和双轮之分，单轮的形如陀螺，双轮的形如沙漏。

关于空竹的起源，至今还没有准确的说法。有人就认为，空竹中蕴含的阴阳关系是源于一种阵法，而且这个阵法可以追溯到上古时期的神话：黄帝轩辕与蚩尤交战初始，总是打不了胜仗，于是玉帝派九天玄女下凡，帮助黄帝排兵布阵。在九天玄女的帮助下，黄帝大胜而归，于是命人按阵法的式样造了一个筒状的大圆盘，并在两端开小孔，众人拉动圆盘时，便能发出嗡嗡的声音。有人说，这个装置可以看作是空竹的雏形。

与空竹有关的最早文字记载，是三国时期的曹植所作的一首《空竹赋》，可惜，这首诗如今只留下名字，内容已经无从查考了。四大名著之一的明代小说《水浒传》里也提到了空竹。第一百一十回，宋江见到街市上有人耍着陌生的物件："两条巧棒，中穿小索，以手牵动，那物便响”，询问后知道那物件叫胡敲。这里的“胡敲”就是空竹，“小索”和“巧棒”说的就是抖空竹的绳和手柄。在清代人李虹若编写的北京城市指南《朝市丛载》里，空竹已经和毽子、冰鞋等一起，成为当时的流行物件：“每逢庙集，以绳抖响，抛起数丈之高，仍以绳承接，演习各样身段。”可见在清朝时，抖空竹的技艺已经十分成熟，出现了各种各样的玩法。

我们通常不说“玩空竹”，而说“抖空竹”，那是因为抖这个动作就是玩空竹的技术要点。玩的人正是通过控制线绳的抖动，让小小的空竹旋转起来，甚至完成滑行、弹起、跳跃等花样繁多的动作。那么，空竹是如何转起来的呢？空竹的旋转原理和陀螺相同，都是利用惯性。只不过一个是在地上转，一个是在线上转。人们通过手柄来抖动线绳，给空竹一个作用力，这个力对抗着空竹和绳子之间的摩擦力、空气的阻力等，达到一种力的平衡。正是这些力的作用让小小的空竹完成着线绳上的平衡之舞。当然，空竹高手那种让人眼花缭乱的空竹之舞，不是每个人都能做到的。要想抖得一手好空竹，往往需要长时间的练习。对于初学者来说，可以试试这个口诀：“一对正，二对齐，右手用力向上提，左手配合不用力。”玩得久了，也是能抖出一些花样来的。

抖起来的空竹不仅声音悦耳，而且随着抖动幅度的变化，空竹声还会时急时缓，时而高亢，时而低沉。这高低不同的声音是怎么来的呢？这主要与空竹的构造有关。以传统空竹为例，空竹内部有一圈“小房子”，这些小房子由一个个半开口的毛竹筒和小竹片构成，它们围成一圈，再被夹在两块圆板中间，就形成了一个“气流迷宫”。空竹转动的时候，空竹外的空气对空竹内腔中的空气进行激扰，“气流迷宫”里的空气就会因为变化着的空气压力差和振动频率而发出高低不同的声音，完成一场力与空气合作下的完美演奏。18世纪时，有传教士把空竹带到欧洲，欧洲人将空竹的材质改为塑胶和橡胶，就出现了旋转起来不会发声的空竹——迪亚波罗。

空竹是和传统的竹木工艺密切相关的，所以想做出这样一个“气流迷宫”，在工序上一点儿都不简单。全国各地的空竹在名称、尺寸、工艺上都有不同，各地制作空竹的民间艺人也各有各的看家本领。非物质文化遗产项目抖空竹代表性传承人张国良先生就说过，制作一个传统的单轮空竹，就包括截板、锯竹筒、内贴、修活、磨口等十七道工序。

抖空竹这项古老的游戏流传至今，发生了许多变化。空竹的制作，除了竹木，也开始更多地使用塑料、金属和橡胶等材料。在样式上，除了传统的单轮和双轮，还出现了叠层的、碗形的、碟形的和其他异形的空竹。在北京的报国寺附近，就建有中国的第一家空竹博物馆，收藏了400多件各式各样的空竹，甚至还有旧时皇帝玩过的空竹复制品。

抖空竹的技巧也在传承之中不断创新，当代抖空竹的高手就发明出了“金鸡上架”“海底捞月”“蚂蚁上树”等新技巧。其中，“蚂蚁上树”就是一个需要有人辅助才能完成的高难度技术，需要先将长绳一端系在树梢上，一端拿在一个人手里，另一个人抖动一只空竹时，将飞转着的空竹抛向长绳，持长绳的人用力一拉，把刚接住的空竹抖到五六十米的空中，等空竹落下时，抖空竹的人还能稳稳地接住，令人惊叹不已。

如今，抖空竹已经从一种民间游戏，发展成一种群众基础广泛的民间体育活动，更成为杂技表演的项目之一。从单人表演到多人表演，从最早在街头巷尾表演，到如今在专业舞台上大放异彩，传统空竹已经被高水平的杂技演员带向了世界舞台，中国空竹精彩纷呈、出神入化的技艺还曾获得多项世界杂技表演的大奖。

指尖工坊

空竹制作有学问

看似简单的空竹，在制作上却有许多讲究。尤其是传统手艺人，对空竹的材料和结构都有很高的要求。比如在选材时，空竹内部的发声装置，最好用多年生的毛竹制作；发音轮的外壳，要用优质木板或者五合板来制作；线轴要根据空竹的大小选取合适的长木块；即使是看起来简单的麻绳和手柄，也可以结合人的高矮胖瘦，为体型各不相同的使用者准备合适的长度和粗细。

制作空竹的第一步，往往是截板。先在木板上画圆，用曲锯锯成两个大小相同的圆板，并把四周磨平。第二步是锯竹筒。将毛竹锯成若干段，用刀将每段毛竹筒劈去约三分之一，形成一个个近似半圆的弧形竹筒。第三步是内外贴合。在之前做好的圆板上画出内贴线，把一个个半圆形的竹筒开口朝外地贴在板上。将

事先从毛竹上锯下来的小竹片截成合适尺寸，按照一定的距离贴在圆板外侧，也就是竹筒开口处的这一圈，贴好后，在上面扣贴上另一块圆板。

这样，在两块圆板之间，竹片和竹片之间就形成了大小不等的风口。风口还要再修整，修口的好坏直接决定了空竹的发音。风口大的是低音口，风口小的是高音口。依据风口的数量，空竹又可以分为双响、四响、五响、多响等。待风口修整好再安装线轴。在发音轮一侧的圆板中心打孔，安装上不同样式的木轴。这样空竹的发音轮就基本制作完成了，还可用染料在圆板上绘制不同的图案进行装饰。

剪 纸

纸上的镂空艺术

一张纸在大部分人手中不会产生什么奇迹，但经过剪纸艺人之手，伴随剪刀的张张合合，竟会变成动物、花草，化身历史人物，再现山川和街景，创造出丰富的艺术奇迹。由于创造这个奇迹的工具和材料简单易得，技法也容易入门，剪纸不仅可以作为节日里隆重的装饰艺术品，也可以作为供孩童玩乐的小玩意。

像剪纸这样的镂空游戏其实由来已久，在纸发明之前，人们将黄金和白银捶打成薄薄的片状，再使用镂空工艺，得到精美的金银饰品。生活在中国东北大兴安岭的鄂伦春族人，至今传承着在桦树皮和兽皮上雕刻的传统工艺。据说西周初期，年幼的周成王和弟弟叔虞玩耍，成王把一片桐树叶剪成玉圭的形状送给弟弟叔虞，说："这是分封给你的土地。"可见天子也爱玩这种剪物游戏。但由于这句话被史官记录了下来，而天子无戏言，成王只好把唐地分封给了叔虞。这个小故事说明作为当权者言必行之，即便是游戏中的许诺也要兑现。

纸发明后，剪刻的手艺算是找到了最佳的创作材料。与金属和动物皮相比，纸张更轻、更薄，使得剪、裁、刻等工艺得以更自如地发挥。但纸张也脆弱易腐，使我们很难追溯剪纸最早的起源。现存最早的剪纸实物，是新疆阿斯塔那古墓出土的剪纸残片，这些作为陪葬品的剪纸是南北朝时期的作品，距今有1500多年的历史。其中有5幅是用麻纸剪成的团花图案（团花指中心对称的圆形花纹），分别表现了“对马”“对猴”“忍冬”“菊花”等形象，可以推测当时的剪纸技巧已经十分成熟。

对马团花：

经过复原技术，可以看到其外轮廓呈锯齿状，中部是六边形，在六边形每一个边上用折纸的方法剪出两两相背的马，马尾部相连，头部、四蹄与内外边相连。

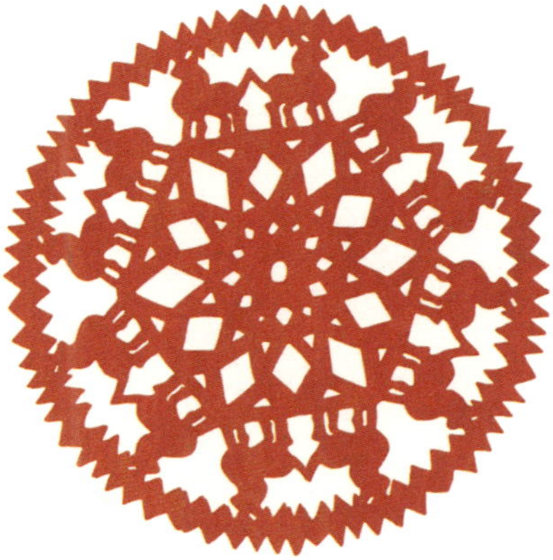

对猴团花：

经过复原，可以看到其外轮廓外边呈锯齿状，内有16只猴子形成一个圈。猴子两只一组，回首相盼，状似跳舞，之间有下垂树枝，圆心内部是几何形纹样。

随着造纸技术的发展和普及，剪纸艺术也逐渐繁荣，并发展为与中国人生活紧密联系的一部分。

从唐代开始，元宵节看花灯、猜灯谜已经成为全民参与的习

俗。花灯多是用竹子扎骨架然后糊上纸，而剪纸是灯面不可缺少的装饰，剪纸镂空透亮，灯烛点燃后，剪纸的影子就会玲珑剔透地映出来。人们还剪出一些戏曲人物或者动物的形象，装饰在可以转动的灯笼上，点燃的灯烛产生热气，推动转轮转动，灯笼上的人物和动物就会动起来，非常有趣。人们给这种灯笼起了一个形象的名字——走马灯。宋代诗人范成大就曾用“转影骑纵横”这句诗来形容走马灯上人马舞动的场面。

到了宋元时期，剪纸成了年节中必备的装饰品。直到今天也有俗语：“二十七写对子，二十八贴花花”，贴花花就是指过年贴窗花、贴门笺、挂年画。以前的窗花和门笺都是由家里的巧手媳妇剪出来的，到了腊月二十七、二十八，家家户户的窗户上、门楣上、房间里被红红绿绿的剪纸和贴花装饰起来，在青色、蓝色或灰色的瓦房间，烘托出一片喜气洋洋的节日气氛。

除了窗花和门笺，人们后来又创造出墙花、顶棚花等，使剪纸成为一种颇具趣味的房屋装饰。在谷雨、端午等节气，这些房前屋后的剪纸还被赋予了特殊的意义。谷雨时，人们用纸剪春鸡，象征“春吉”；端午节，人们剪出“五毒”（通常指蛇、蝎子、蜈蚣、蜥蜴和蟾蜍）、“七星剑斩蝎子”等形象，用来驱除害虫及瘟疫，或按剪纸花样绣制药物香囊佩在身上。

明清时期，剪纸艺术从繁荣走向鼎盛，专门从事剪纸的艺人越来越多，其中不乏技艺高超者。清代的陈文述在《画林新咏》中就写道：“南宋时有人能于袖中剪字，与古人名迹无异。”《保定府志》这本书里也提到，清代有个名叫石女的人，一边与人谈话，一边能在袖中剪纸，剪出的“春花秋菊、细草垂杨，罔不入神”。

如今，剪纸不仅能用来创作单幅画、连环画、书签、贺卡、插图等，能工巧匠们还把剪纸的技术运用到瓷器的

制作中，剪纸贴花瓷就是贴上剪纸花样后施釉入窑烧制而成的。这种特别的技法是宋代的吉州窑独创的，已经流传千年，成为中国瓷器中极富特色的工艺。

剪纸除了装饰环境、增添喜气的功能，还被寄托了吉祥的寓意，所以千百年来，剪纸一直受到人们的喜爱。人们剪出象征富贵的牡丹、象征多子的石榴，剪出“羊”祈求“祥和”，剪出“鸡”祈求“大吉”，用蝙蝠的“蝠”祈求一份幸福和福气。婚礼时，人们用双喜字——囍表现喜上加喜；寿辰时，人们用佛手、寿桃、松、鹤等图案祝颂老人福寿双全。无论什么样的题材形式，剪纸

的表现内容都与平安幸福的祈愿密切相关，象征着人们对于美好生活的热切向往。

剪纸不仅是我国宝贵的非物质文化遗产，还是联合国教科文组织选定的人类非物质文化遗产代表作之一，江苏扬州、陕西安塞、甘肃庆阳、陕西浮山、河北蔚县等地都是以剪纸闻名的地方。每个地区都有代表性的剪纸艺人，他们从长辈那里传承剪纸花样，再把自己听到的传说故事、看到的人间百态都通过剪纸表现出来。在陕北的乡间，我们能看到手里剪着纸、嘴里唱着信天游的老婆婆；在北方的炕头上，刚听完村戏的民间剪纸艺人一边回味着唱词，一边剪出一个个活灵活现的书生、武旦和朝臣；南方的院落里，老奶奶一边给孙子剪出一只左顾右盼的小老鼠，一边哼唱着《小老鼠上灯台》的童谣……由每位剪纸艺人创造出的这方艺术世界，不仅是本人人生的缩影，也成为祖国大地不同地域文化、不同风土人情的最生动的记录。

在剪纸的大家族里，有着各具特色的成员们。根据材料的不同就可以分为单色剪纸和彩色剪纸。常见的单色剪纸是用一种颜色的纸张制作的，最常用的是象征着吉祥和喜庆的红色。彩色剪纸是指在同一剪纸上有两种以上的颜色。颜色可以是染上的——用白纸剪出形状后再染成所需要的颜色，或者先将纸染色再剪出形状；也可以是拼出来或套出来的——分别用不同颜色的纸剪成各种形状，再按照图样拼贴在同一张衬纸上。

从除夕、元宵再到立春、端午，几乎在中国人的每个节日都能看到剪纸的身影。而中国人一生中的许多重要时刻，都由剪纸艺术默默地见证着：从新婚洞房到生辰寿诞，再到日常生活中的扇面纹饰、印染布料和刺绣花样，剪纸为人们的生活提供着源源不断的美的元素。我们也可以尝试着自己用剪纸为生活创造美：在春节的时候和爸爸妈妈一起剪窗花、门笺；为爷爷奶奶的生日亲手剪一个寿桃或者福字；在给叔叔阿姨的婚礼礼物上贴上自己亲手剪的喜字礼花，让剪纸这门古老的艺术在我们的小手里变幻出更多的生命力。

指尖工坊

纸上的花样是怎么来的？

剪纸是一门学起来容易但精进起来十分困难的手艺，了解了剪纸的基本方法，你也可以尝试着剪一剪。

剪纸最重要的就是纹样。有了纹样才清楚哪些地方需要剪刻掉，哪些地方需要留下来。我们的祖先，为我们留下了丰富的剪纸纹样，不论是十二生肖，戏曲人物，还是松、竹、梅等植物，都有传统图样可以参考。

剪纸的工具很多，常用的有剪刀和刻刀两种。

用剪刀时主要有折剪、扎剪和旋剪等手法。其中最常用的，是将纸折叠后进行折剪。折叠主要是为了达到图案的对称，不同的折叠方法会得到不同角度的对称。除了对折，还有两方连续、四方连续等折法。上文提到的我国现存最早的剪纸作品“对马团花”和“对猴团花”就使用了折剪的方法。

用刻刀时，又可以分为阴刻和阳刻。阴刻是去线留白，沿着轮廓线刻去块面，线与线不相连接。阳刻与阴刻相反，是保留轮廓线，刻去空白部分，以线条为主。图案的线条是实心，线线相连。阴刻和阳刻结合使用，会使画面更丰富。

要想剪好一幅剪纸作品，需要多动手、多练习，剪一剪小圆洞、月牙形、柳叶形、锯齿形……剪刀和刻刀运用的灵活程度，往往决定了线条的成熟水平。老一辈手艺人就有“圆如秋月，尖如麦芒，方如青砖，缺如锯齿，线如胡须”这样的标准。

阴刻

阳刻

木 偶

为木头注入有趣的灵魂

木偶，就是用木头、泥土等材料做成的人像。说起木偶，小朋友们可能会想到意大利童话里的匹诺曹，或者《芝麻街》里颜色鲜亮、性格各异的小家伙。其实中国也有不少木偶明星，20世纪80年代的木偶片《神笔》《阿凡提的故事》等，不仅受到全国孩子的欢迎，还获得了许多国际性奖项的肯定。

不论是一说谎鼻子就会变长的木偶男孩，还是活跃在电视里的木偶娃娃，很少有孩子能够拒绝木偶的魅力。木偶表演是一门古老的艺术，它承载着人类与生俱来的童心和稚气，也象征着人类与孤独对抗的恒久努力。在2000多年以前的古希腊和古印度，就有人用木偶和泥偶来表演或者作为玩具。在同一时期的中国也出现了偶人，不过中国最早的偶人是带着眼泪来到世上的，因为它们大多是作为古代王朝统治者的陪葬品——俑。这些被做成侍女、奴仆或武士等形象的俑，代替了更加残忍的活人陪葬制度，被视为是奴隶主们身份地位的象征，和自己的“主人”一道深埋地下，

著名的秦始皇兵马俑就是这一时期以俑殉葬的典型。

墓葬中的俑人静止了千年，而正是“不再静止”，为偶人注入了灵魂。随着时间的推移，能工巧匠们不仅制作出更加精致的偶人，并且能够使这些偶人活动起来。例如，东晋时期的解飞就为信仰佛教的后赵帝王制作了一辆檀车，其中有10多个身披袈裟的木头僧人，它们高60多厘米，可以绕着檀车中央的佛像行走，还能做出燃香礼佛的动作。北齐时期的密作堂也是与后赵檀车类似的装置，不过规模更为庞大，在三层的木制结构中，不仅有行走的僧侣，还有菩萨、飞天、卫士等形象穿插其间，更有弹奏乐器的人偶，仿佛是一个微缩版的佛陀仙境。

可以看出，这个时候的木偶大多是服务于神仙崇拜、祭祀等活动，或者用于宫廷的庆典或礼仪。在距今1000多年前的北齐，就有一位擅长制作机关和偶人的僧人灵昭，为当时的皇帝高湛设计制作了“流杯池”，池上有木头小船承载酒杯送到皇帝面前，而船上的木头小人可以在丝竹的伴奏下，取递酒杯。灵昭还为胡太后制作了一座设计精妙的七宝镜台，36个妇人木偶分别位于36个独立的小房间内，控制机关，便能打开36扇门，让这些偶人同时从房间内走出来。

从“俑”到“偶”，除了变得更灵活，也变得更加娱人。到了汉代，偶人便开始登上舞台为人们跳舞唱歌了，最初还只是为葬礼服务，后来又应用到喜庆的场合。从这个时候开始，木偶才真正被赋予快乐的灵魂。在三国时期，木偶甚至可以在宴会等场合表演杂技。这个时候的魏国还出现了用水力机械操作的木偶表演——水转百戏。据说，当时的机械大师马钧制作的水转百戏，以水力激发，通过齿轮传动，可以使木偶乐工击鼓吹箫，木偶歌女翩翩起舞，还有玩空中抛球、掷剑、倒立的杂技木偶，做起叠罗汉、走绳索、翻跟头等惊险动作来毫不费力，甚至有木偶在表现舂（chōng）米、磨面、斗鸡、坐堂审案等场面，非常神奇。

这类水转百戏又叫水傀儡，因其多变的造型、精巧的设计受到皇室的喜爱，逐渐成为宫廷娱乐的一项重要内容。到了隋炀帝时代，当时的巧匠黄衮（yǎn）发展创造的“水饰”更是精妙绝伦，代表着水傀儡制作技艺的最高水平。据记载，这一规模宏大的装置共有72个场面，除了穿插其间的动物偶像、百戏技艺和音乐歌舞，更是将数千年的文明典故都通过活灵活现的偶人展现出来：从将象征着远古智慧的“河图洛书”进献给伏羲的传说，到汉代以来的历史故事；从上古神话里的神祇，到彪炳史册的人物，人兽仙麟、文治武功无所不包，令人叹为观止。

到了唐宋两代，偶戏的发展最为繁荣，逐渐出现了提线木偶、杖头木偶等多种形态。提线木偶也叫悬丝傀儡，是用线索牵动，使偶人活动起来的木偶。连接在偶人关节各处的线索，能使木偶呈现出灵活的动作。提线木偶通常身体和四肢俱备，是最接近

人体结构的木偶品种。杖头木偶则是通过木杖制成木偶的身体，用手杆控制木偶的双手来表现动作。

到了宋代，偶戏更是作为一种时尚的活动，活跃在当时的民间娱乐场所——瓦肆勾栏。现在我们可以通过同一时期的绘画、雕刻等艺术，一窥当时木偶戏的流行。此时，专职演出木偶戏的艺人越来越多，偶戏表演的内容也逐渐有本可依，灵怪、公案、史书、历代君臣将相的故事或当时流行的杂剧，都可以由小小的木偶人再现出来。

除了用线索和木杖操作的偶人，那时还出现了用火药发动的

药发木偶和人偶同台演出的肉木偶，可见当时的木偶艺人就已经极具实验精神。药发木偶是利用火药的爆炸作为动力，带动木偶做出预想的动作，这种表演现在已经很少见了，只是在文学作品中还有类似的记录。在《三国演义》中，孔明就用木头刻画成猛兽，并在它们的肚子里装上火药，使得巨兽可以口吐火焰，鼻出青烟，身摇铜铃，吓得蛮兵和真兽掉头就跑。这款古老的“火焰喷射器”也许可以视作药发木偶的“近亲”。

如今，有着上千年历史的提线木偶和杖头木偶被很好地传承下来，布袋布偶（又叫掌中木偶）、铁枝木偶等形式也加入到木偶戏的大家族中。在民间，各地形成了独具地方特色的木偶戏，像是泉州的提线木偶戏、晋江和漳州的布袋木偶戏、潮州的铁枝木偶戏、川北大木偶、海南的杖头木偶、江苏如皋的扇子戏

（将木偶固定在折扇上，通过丝线、扇骨来操纵木偶的动态）等。便捷又具有浓郁神化色彩的木偶戏，成为许多村镇在祀神、求雨、禳灾等场合选择的表演项目，许多地方在逢年过节、嫁娶宴客时，也少不了搭台唱木偶戏，以增加喜庆气氛。

从南宋刘松年的画作《傀儡婴戏图》中，我们能看到，宋代时期的木偶人就已经衣帽俱全，身形各异了。可见，模拟真人、展现偶人的个性是中国木偶长久以来的特征。与静态的木偶不同，用于表演的木偶常常还要附带许多提线或机关，好让艺人能够顺利地操纵木偶，表现出连贯而逼真的动态。比如，向来以提线繁多、技巧复杂著称的泉州提线木偶，就包括控制头、胸、背脊、肚脐、手指、手掌、手腕、手肘、双脚、双臀、眼、嘴等众多位置活动的线位，所以才能够达到以假乱真的舞台效果。提

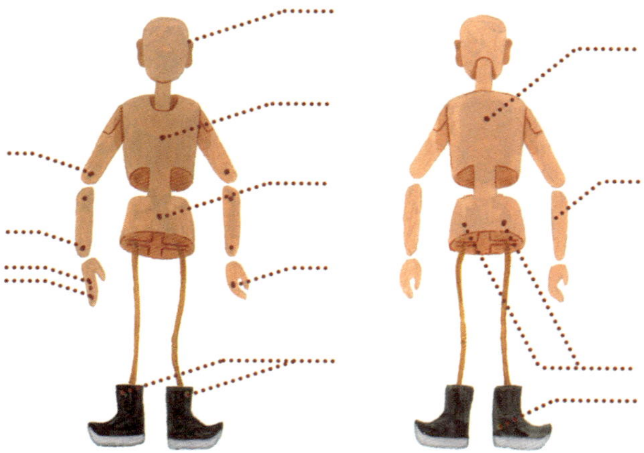

线板是用来把提线分类汇聚起来的操纵板，提线一头连着偶人身体不同的关节部位，另一头穿在操纵板上，需要哪个部位活动，就拽动哪根提线。而一个个木偶人，就随着木偶艺人双手的提、搓、捻、勾、抖、掂、点、摆、拨、扣、转、拧等众多技法，在舞台上获得了抖擞的精神和生命的活力。

木偶戏的演出需要融合雕刻、服装、音乐等诸多元素，而这种融合并不需要很大的空间。提线木偶灵活便利，不用戏棚，一个人提着木偶就自成一方舞台。旧时，偶戏艺人们会用竹竿搭好易于拆装的棚架，用布幔围出表演空间。除了人偶同台的木偶戏，大部分木偶戏演出依赖于人的操纵，如何将人隐藏在戏剧场景之外，从而凸显偶人的形象，就是木偶戏舞台要解决的主要问题。如今，随着木偶戏的创新和发展，泉州提线木偶还创造出一字平面台、阶式平面台、天桥立体台等形制，天桥立体台就是人站在天桥上，木偶在下方表演；或者木偶在天桥上，人在下面操作，这种舞台设计给木偶演出创造了更大的空间，能在不知不觉中加深观众与偶人的互动。

想要小木偶活动并开口说话，就需要幕后的演出者。从一个

人就能完成的提线木偶戏和布袋木偶戏，到两三个人或多人合作的提线木偶戏和杖头木偶戏，大规模的木偶戏也不过十几个人即可完成。这些站在木偶身后真正的演员们，既要让小木偶做动作，还要配说、配唱，甚至还要同时演奏乐器。正是这种人与木偶相互配合而生成的默契，成为木偶戏的艺术灵魂。也是这些甘愿将自己与舞台隔离开的幕后功臣，使不管是古代或当代的观众都能快速融入木偶的世界，被偶人的喜怒哀乐牵动着，为这一独特的艺术形式而深深着迷。

指尖工坊

木偶人的诞生

让我们以福建泉州的提线木偶为例，来看看形同真人的木偶究竟是如何诞生的。

泉州的提线木偶身高在80厘米到120厘米不等，一个完整的木偶一般包括偶头、肢体、服饰（包括帽子和鞋靴）和操纵线板，其中最关键的是偶头的制作。

制作偶头，先要选好木料，坚韧的樟木和栗木最佳。选准木料后，先削出一个三角形的木头块，然后细细雕刻人物的外貌五官。像是嘴巴、眼珠这些需要活动的地方，都是需要做挖空处理的。后期，木偶工匠会将这些器官与需要安装的零件组装起来，这一步叫装置机关。然后就是着彩、勾画。用砂纸打磨头像，铅粉刷上底色，然后勾画出五官和脸谱。木偶的脸最开始都是模仿真人的样子描绘的，后来受到戏剧影响，渐渐脸谱化了，泉州木偶就有着生、旦、北、杂四大行当的区分。

泉州木偶的特色就在躯体上。与一般的木偶不同，它的躯干是用竹子编织而成的，也叫笼腹，分为上腹和下腹两部分，分别做好再拼合到一起，因此木偶做起前后俯仰、左右转身等动作来特别灵活逼真。木偶的手脚是用木头雕刻的，其中手还有文武之分，适宜让木偶抓握不同的道具。

偶人做好后就要给它们穿衣服。偶人角色很多，衣服也需要根据角色来设计，像是皇族戴的冠和武官戴的头盔，帝王穿的蟒袍和侠客穿的箭衣都各有讲究，不能混淆。

提线的安装也很重要。提线木偶的提线数量不等，从基本的五根、六根，到复杂的十多根，提线的多少往往决定了木偶的灵动程度。

泉州木偶的笼腹

泥 玩 具

土元素的花样演变

泥巴，是构成我们脚下这颗星球最基本的物质之一，它生长万物，遇火遇水则能改变形态，更能在岁月更迭中组成变化万千的瑰丽地貌。中国人的日常生活也深深依赖着它，普普通通的泥巴在能工巧匠的手里，就如同孙悟空拔下的毫毛一样，能产生七十二般变化，变成各种各样的器物。

城市里的孩子极少有机会与泥巴亲密接触，大多数乡村小孩却是在泥巴中玩大的，它是大自然赋予孩子的一种取之不尽、用之不竭的百变玩具。在历史上，我们的祖先在用泥巴制作居所和器物的同时，也没有忘记给自己的孩子捏制一些泥玩具，比如泥偶和泥娃娃。

两宋时期，就有一种风靡大街小巷的泥偶“磨喝乐”〔也叫“摩睺（hóu）罗”“魔合罗”等〕，这个名字是佛教神“摩侯罗伽”梵文的音译。虽然磨喝乐的大小姿态各异，但大多是手捧莲叶（也有手持莲蓬或荷花的）胖乎乎的婴儿或童子形象。每年的七夕节，不论达官贵人还是平民百姓，都爱买一尊磨喝乐来供奉，借此来实现“乞巧”或多子多福的愿望。孩子们也爱打扮成磨喝乐的模样，身穿新衫、手执荷叶走街串巷，成为节日期间的一种时尚。磨喝乐最早只是朴素的彩绘泥偶，到了后来越做越精致，还出现了用象牙、香木雕刻，甚至用金玉宝石来装饰的，这类磨喝乐也成为达官贵人们收藏观赏用的雅玩，而出自彩塑名家之手的磨喝乐价格更是昂贵。

流传至今的泥偶都成了某个地方的艺术名片，像饱含江南乡土气息的江苏惠山泥人，反映百姓生活的天津泥人张泥偶，北京庙会上常见的兔儿爷等，这些泥娃娃都是以泥土为原料，手工捏制而成，它们或素或彩，造型以动物、人物为主，加以手工艺人的想象，表现出强烈的地域特色和风土人情。

江苏无锡的惠山，是个山清水秀的好地方。惠山脚下的泥土是细腻柔软的黑泥，不容易干裂，是捏制泥人的好材料。惠山泥人历史悠久，在清代最为鼎盛，当时的五里长街、上下河塘开设了数十家泥人店，还有两百多家专业的泥人手工作坊，形成了有名的“泥人街”。据说乾隆皇帝微服私访的时候到过惠山，当地泥塑受到皇帝的喜爱，大受赞扬，从此全国知名。

说起惠山的泥玩具，不能不提憨态可掬的大阿福。大阿福不仅是惠山泥人的代表，也是数百年来深受宫廷和民间孩子喜爱的泥玩具。

说起大阿福的来历，还有这么一段传说：很久以前，惠山脚下住着一对以捕鱼为生的老夫妇。一天，他们打鱼的时候，渔网网住了一个沙孩儿，而且喊他们爷爷奶奶。老两口儿很高兴，就把沙孩儿当作自己的孙子照顾。隆冬季节，惠山出现了一只叫“年”的怪兽，专吃小孩，爷爷奶奶想把沙孩儿藏起来，但是沙孩儿却不怕，他骑到年的背上，征服了这只怪兽。

后来，有泥人师傅照着沙孩儿的样子捏出泥娃娃，还给它取了“大阿福”这个吉祥的名字。从此，惠山家家户户都供奉着这尊可爱的大阿福，认为它可以辟邪驱凶，慢慢地，大阿福也成了孩子们喜欢的泥玩具。在大阿福的基础上，惠山人还创造出了小花囡（nān）、如意囡的形象。在江苏方言中，小姑娘被称为“囡”，花囡就是指漂亮的小姑娘，小花囡总是笑呵呵的，充满了喜气。

像大阿福、小花囡等造型粗犷简洁、挥洒写意的形象，属于惠山泥人中的“粗货”一类，而另一类“细货”则是取材于传统戏曲人物、神话传说、人物塑画等的手捏泥人，相比粗货，细货的装饰更为精致，以“手捏戏文”为代表的细货，更是惠山泥人中让人叹为观止的精品。

说起北方的泥偶，天津泥人张绝对是一个响当当的名字。拥有百年历史的泥人张泥塑，擅长再现人物的形象和精神，造型、色彩、道具都极其精美，已经成为中国泥塑艺术的代表之一。著名作家冯骥才先生就曾写道：“手艺道上的人，捏泥人的‘泥人张’排第一。而且，有第一，没第二，第三差着十万八千里。”泥人张的创始人张明山更是有一手绝活儿：“台下一边看戏一边手在袖子里捏泥人。捏完拿出来一瞧，台上的嘛样，他捏的嘛样。”

在北京，兔儿爷是最具代表性的泥人，也是老北京中秋节的标志之一。传说月宫中有嫦娥和玉兔，而捣药的玉兔可以为百姓祛病消灾，于是北京人将一尊尊泥塑的兔儿尊称为“爷”，并且恭敬地供起来。旧时每逢中秋，京城的街巷中随处可见售卖兔儿爷的货摊，摊上摆满大大小小各式各样的兔儿爷：有骑着虎的，骑着麒麟的，还有坐着莲花、白象或是鹿的，讲究的还有背插靠旗的，金枪红袍，披盔戴甲，像极了戏台上的武将，威风凛凛。

细看兔儿爷的脸，却不全是兔子模样，只有小小的三瓣嘴，另有两个细长的白耳朵让人联想到兔子，其他便都是人的特征。性格温顺的兔子，配上这番气贯长虹的模样，将北京人心气中的浪漫心性和侠义情怀表现得淋漓尽致。在老舍先生的《四世同堂》中，就写兔儿爷“好像是兔儿中的黄天霸”，还提到“就是一个七十五岁的老人也没法不像小孩子那样的喜爱它”。这部作品是战乱时期老舍先生在重庆创作的，从书中对兔儿爷的描写，可以看出兔儿爷与老北京人之间的那份深厚的情感连接。

与被高高供起的兔儿爷不同，北方民间还有一种更接地气的泥玩具——泥饽饽。饽饽是北方人口中的面食，但是泥饽饽是绝对不能吃的。之所以叫泥饽饽，大概是因为揉泥巴的过程与和面类似。旧时孩子们会在墙根下或者院落里挖来细腻又黏稠的黄土，倒上水，一点一点和成软硬适中的泥巴。最简单的玩法，是直接用这些泥巴捏出小泥人、小动物、房子、飞机、坦克等各种各样的小玩意儿；复杂一点儿的玩法叫“磕泥饽饽”，得借助模具。制作磕泥饽饽的模具和制作糕点的模具很像，不过是用陶土烧制成的，不像木头做的那样结实。北京白塔寺的西北门有个胡同，过去就是专门售卖“磕泥饽饽”的，每逢庙会这里便顾客盈门。还有卖陶模子的货郎，或推车，或挑着担子，在胡同里转悠。“买模子嘞！”一声悠长的吆喝，立马就有一群小孩，叽叽喳喳的，把摊子围得水泄不通。

泥饽饽的模子见得最多的是人形的，前后两片。用泥填实，刮平多余的部分再合起来就是一个立体的人物。人物的模样很多，像是兔儿爷、关公、孙悟空等等。还有卖与人物配套的小物件的，像是孙悟空的金箍棒、姜太公的钓鱼竿等等。这些模子都是出自民间艺人之手，图案美观大方，除了人物，花鸟虫鱼、梅兰竹菊、历史典故

等应有尽有。遇到特别喜欢的模子，孩子们还会给磕出来的泥人涂上颜色。那个时候就流行过《水浒传》的人物模子，有孩子专门集齐一百单八将，在院子里从这头摆到那头，足足好几排，跟排兵布阵似的，很有气势。

发展到今天，这些泥偶和泥娃娃早就超越了玩具的范畴，成为一门讲究的艺术，和其他大大小小的泥塑一起，成为中国传统美术的代表。惠山泥人、泥人张泥人、兔儿爷不仅是各个地方值得骄傲的手工技艺，而且已经被纳入国家级非物质文化遗产代表性项目名录，是需要我们重点保护的极具价值的文化遗产。

有机会的话，你也可以去野外玩玩泥巴，或者找一小碗土，加上水，像和面一样捶打、揉捏，去除粗粒杂质，感受泥土在手中质感的变化。比起橡皮泥，这些天然的原料能够让我们亲近自然，感受大地的神奇。

指尖工坊

做个大阿福

惠山泥人的传统工序包括搓、揉、挑、捏等十几项技艺，极为复杂。其中，粗货多是用模具印塑头和身体后，再用手捏出四肢和配件；而细货的身体和四肢都是手捏的，只有头部会用到模具。

以惠山泥人中的粗货举例，一个大阿福是怎么做成的呢?

在塑形前先要备好材料。惠山泥人对材质的要求极为严格，需要取当地水稻田一米深处的黑泥为材料。要想处理好这些泥，少不了充分的过滤和捶打，然后再将它们切割成大小合适的方块。

塑形通常是将和好的泥擀成片状，压进事先准备好的模子里。模子有单片和多片的分别，双片的“大阿福”就是将两片压好泥的模子合拢压紧，再安一个“底”，也就是在泥人底部粘上一片泥，使泥人“中空而外严”。

泥坯脱模后，可以进行简单的修整。把泥坯放在阴凉的地方，等它完全干透就可以开始上色了。惠山泥人有“三分塑，七分彩”的说法，有着“红配绿，一块玉”“红配紫，一块死”“头色不过四，身色勿过三”等讲究。彩绘时一般遵循先上后下、先主后次、先淡后浓的顺序，惠山的手艺人在绘制大阿福时往往把红、黄、青、绿等颜色对比使用，有时还要用金色或银色勾勒线条。

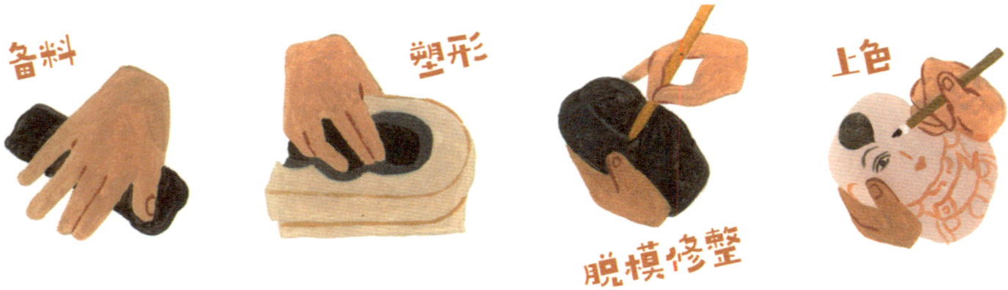

泥 哨

吹响童年的快乐

小小的哨子是最常见的工具：交警吹哨子来引导车流；部队用哨音来传递命令；在体育比赛中，裁判用哨子来指导比赛进行；普通人也可在户外出行时随身带一只哨子，碰见危险情况便可以吹响它求救。

除了作为工具，哨子也具有天然的玩具属性。人类究竟是在何时何地发明了哨子，现在已无法追溯，但可以想象的是第一声哨音带给人类的惊奇。如今，我们可以从吹响玩具哨子的婴儿脸上看到相似的快乐。即便是大人，偶然听到鸽群飞过头顶时发出的嗡嗡哨音，也会惊叹这绑在鸽子尾羽上的小小鸽哨，竟然可以给天空留下如此丰富而悦耳的回响。

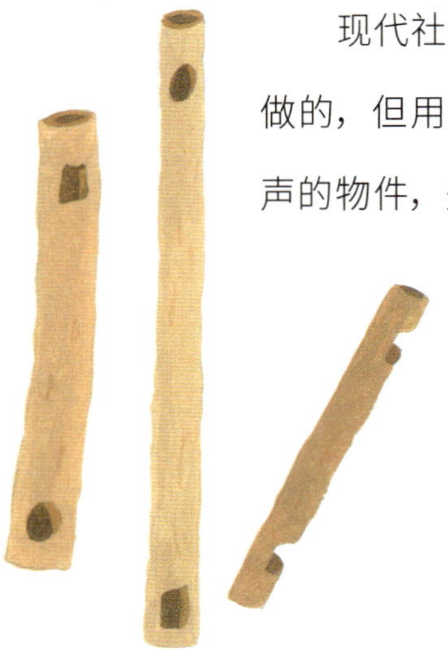

河姆渡文化的骨哨

现代社会中见到的哨子多是用塑料或者金属做的，但用石头、骨头、木头或泥巴做出可以发声的物件，是自原始社会就有的创造。最早，这些发声物件是用来模仿动物的声音，以便吸引和诱骗猎物的，是原始人狩猎时用的辅助工具。他们用禽类肢骨加工制成的鹿哨模拟鹿的叫声，用陶土烧制的陶笛模拟鸟鸣，以此吸引鹿群靠近、诱捕禽鸟。

如今大多数哨子都是阿拉伯数字6的形状，但在古代中国，哨子的形状千奇百怪，动物、人物甚至怪物应有尽有，因为它们多是用泥巴捏成的。随着人们用泥巴塑形和烧制的技术愈发成熟，泥哨的模样也愈发精美。在已出土的东汉文物中，就有精巧的绿釉骑马人哨，骑马者是波斯商人形象，马是西域马，张着嘴，一副不甘驯服之态。这是现存最早的用釉陶制作的哨子，纹饰细致清晰，称得上是一件精美的艺术品。现存的唐代文物中，也有大量的兽头哨、人形哨和小动物陶哨。到了宋代，商业更为繁荣，各种泥哨也大量出现。在描绘宋代集市和庙会相关的图画中，经常能看到小商贩出售各种有趣的哨子玩具，可见，泥哨在当时已经是流行的音响玩具了。

绿釉骑马人哨

随着科技的发展，哨声渐渐被别的电子信号替代了，哨子作为音响玩具，也逐渐淹没在不断推陈出新的玩具世界里。直到今天，传统的泥哨多是作为一种工艺品而流传下来。像河南的泥泥狗、泥咕咕，陕西的泥叫叫等，都是历史悠久的泥哨家族的成员。

伏羲与女娲的礼物——泥泥狗

河南淮阳是我国泥玩具的著名产地之一，泥泥狗就是当地泥玩具的总称。虽叫泥泥狗，但造型又不是狗，常见的倒是猴子、禽鸟虫鱼或是形形色色的珍禽异兽，都以黑色为底色，造型浑厚古朴，别具一格。其中大多都带孔，可以发出三到七个音，算是最古老的泥哨之一。

为什么说最古老呢？因为它的起源要从华夏民族的人文先始伏羲和女娲说起。当地人认为淮阳是人祖伏羲和女娲生活的地方。女娲善捏土造人，然后又教人做泥泥狗。有一则传说，是说

淮阳有一年闹旱灾，一天晚上狂风大作，众多的泥泥狗如天兵天将般来到人间，一夜间便把地里的庄稼都种好了，救了当地人的命。也有人说，泥泥狗是为伏羲、女娲看守陵庙的“神狗”。

因为有着这样的传说，所以不同于一般的泥玩具，泥泥狗身上还寄托着人类的图腾崇拜。当地人十分信奉泥泥狗，认为它们可以祛病消灾，保佑吉祥平安。每逢农历的二月二，淮阳人都会在太昊伏羲陵朝祖进香，在热闹非凡、人头攒动的庙会上，摊位上的泥泥狗总能吸引探寻者的目光。

泥泥狗的造型和颜色传递着远古时期的神秘感，有着古代图腾的印记。传统的泥泥狗只用黑、红、白、黄、绿五种颜色，而且，用细高粱秆上色的方式，也是上千年传承下来的。泥泥狗当中最有代表性的是嘴部突出、双目圆瞪的泥猴。泥猴的花样多极了，有抱桃的、扛锄的，还有猫拉猴、猴抱猴等。泥泥狗中的怪兽造型也极为丰富，多角的、长毛的、独角的，或者是压根儿叫不上名字的，令人啧啧称奇。许多造型与《山海经》中记载的神祇怪兽如出一辙，因此，泥泥狗也有“真图腾”“活化石”等美誉。

凝固时间的艺术——泥咕咕

泥咕咕是河南浚（xùn）县对泥哨玩具的统称，因为在吹时发出“咕咕”的响声，所以人们形象地称之为“泥咕咕”“泥咕咕鸡儿”等。

关于泥咕咕，浚县的杨圯（yí）屯村流传着这样一则故事：隋末瓦岗寨农民起义时，起义军领袖李密手下有一员大将，名叫杨圯，他率领的起义军曾在现在的杨圯屯村这个地方与官兵进行了一场生死决战。最后，杨圯和大部分起义军都牺牲了。军中有位善做泥塑的人活了下来，为了纪念杨圯和牺牲的战友，他用当地的泥土捏制了骑着战马、拿着大刀的人物。当地人非常感动，就把村名改成了杨圯屯村，并且学会了制作泥人的方法，代代相传，作为对死去战士的纪念。

浚县的泥咕咕有禽鸟、家畜、瑞兽、人物、战马等多种造型，其中最有代表性的是战马。泥咕咕中的战马身体健硕，前

腿比后腿长，马首高高昂起，挺直的脖颈上，紧密的鬃毛根根竖立。凑近了，能看到马嘴张开，鼻孔微扩，模仿的是战马临阵前的嘶鸣。这样一种形象，将人带回千年之前的那场战斗中，眼前似乎真的略过刀枪剑戟的光影，耳畔似乎真的传来金戈铁马的喧哗。浚县的泥哨艺人，用泥咕咕这一独特的形式，凝固了时间，造就了艺术上的永恒。

哨音中的苗岭早晨——黄平泥哨

另一种知名的泥哨——黄平泥哨，则是在20世纪30年代发明的。生活在贵州黄平的苗族手艺人吴国清师傅从小喜欢泥塑，对苗族的染布织布也非常熟悉，他以当地的黄泥为原料，开创了如今被称为黄平泥哨的独具苗族特色的泥哨。

黄平泥哨有拳头一般大的，也有李子一样小的。诞生在贵州这片民族文化的沃土，黄平泥哨受到苗族民族艺术的影响，仿佛刺绣、蜡染、银饰中的动物纹样从平面中跳跃出来，变成一个个立体的造型——有生活在贵州山林里的孔雀、翠鸟和山鹰，有藏匿在草间水洼的甲虫、瓢虫、苍蝇和蟾蜍，甚至有一些不太讨喜的小虫子，比如蜈蚣虫、四脚蛇、甲壳虫等，更有许多叫不上名

字的小怪兽。经过手艺人的巧手塑造，它们都变成了稚趣可爱的艺术形象。一对对晶莹透亮的大眼睛，大大的头，小小的身子，造型夸张，妙趣横生，有一番天真烂漫的趣味。泥哨的配色和花纹自然也受到苗族布艺的影响，以黑色作底，点缀红、绿，兼杂黄、白、蓝等色，圆点、条纹、曲线、锯齿、旋涡等纹样有节奏地分布在各种造型的泥哨上，效果鲜明而强烈，像极了苗族女孩衣裙和刺绣上的装饰，给人以美的享受。

除了河南和贵州，在陕西、山东、江苏等地也有许多历史悠久、独具特色的泥哨玩具。中国人喜欢给各种事物赋予吉祥的寓意，作为玩具的泥哨也不例外。从泥哨的各种造型，我们不难看出长辈们寄予孩子的各种愿望：猴子背着猴子的，意味着辈辈封侯；猴子骑着马的，有马上封侯的意思；猴子和金蟾，代表着权力和财富；而猴子和寿桃的组合，则是祝福既当官又长寿。好的寓意不嫌繁杂，据说在已出土的泥哨中，还有一只是猴子抱着大鱼坐在鹿身上，脚下还踩着金蟾的造型，看来，即便是最精彩的人生愿望，都可以放进不足5厘米的空间里。

可以想象，当各种鸟儿的欢叫声回荡在华北的平原、唤醒江边的小城、开启苗岭的清晨时，祖国大地上的孩子们掏出心爱的泥哨，让清脆的哨音汇入大自然的合唱，这应该是泥哨诞生以来，每个拥有它的小朋友都曾有过的快乐吧。

指尖工坊

用泥巴捏个哨儿

泥哨的工艺与其他陶器和瓷器相似，都涉及泥土、造型和花纹。

各地的泥哨一般都是用本地黏土，手工捏成大体形态。泥哨造型的设计是很考验手艺师傅的艺术水平的，泥哨就那么点儿大，样子却飞禽走兽无所不包，不能做得太烦琐，关键是要生动传神，还要有萌趣，让人心生喜欢。

不管做什么样子的泥哨，都要有个中空的“肚子”，“肚皮”前后留吹气孔和回气孔，这样吹进来的气流才有足够的空间回旋，从而发出声音。

泥哨从整体到局部的造型多靠手捏，更细小的地方可以借助竹签、小木棍等简单的工具。在进行人物或动物肢体、五官等细节的雕刻之前，可以抹上一层生菜籽油，稍稍定型。

泥哨纹饰的设计往往都带有当地的风土特点，或与当地刺绣、染布的装饰相似。像羽毛、花瓣等可以在多种造型上通用的纹样，有的手艺人会事先做好硬模，然后选取合适的按压在泥哨的初坯上。泥哨要放置一段时间阴干，再用木屑或谷壳煅烧，成为一种低温陶，再用颜料上色，最后涂上薄薄一层清漆，一只泥哨才算是完成了。

布 玩 具

一针一线缝制温暖陪伴

针线活儿曾是古代女性从小学习的基本技能之一，在成年后的多数时间里，她们与针线为伴，在缝补、刺绣等女红（gōng）中注入她们的智慧与向往。除了制衣绣花，她们还能用巧手给家族中的孩子缝制出精美的布玩具。每逢端午佳节或小孩子满月，一件件由母亲、姑母或阿姨亲手缝制的布娃娃、布老虎、布毛驴，饱含着旧时长辈对孩子的质朴祝福。

说起布玩具，布老虎肯定是当之无愧的代表。由于没有统一的样式，心灵手巧的妇女们用手头现成的布料，只凭借脑海中的想象就能缝制出形态迥异的布老虎，往往是不追求形似，只追求神似。大大的头和小小的身子，瞪得溜圆的眼睛和夸张的嘴，使“兽中之王”顿时变得憨厚可爱起来，有的布老虎还露出用彩线勾勒而成的尖利牙齿，一副勇猛威严的模样，充满虎虎生威的精神劲儿。

布老虎之所以能在各地广泛流行，与中国人自古以来崇拜虎、敬虎的文化有关。早在远古时期，老虎就被我们的祖先视为保护神之一。在风雷闪电和猛兽出没的原始社会，人们认为老虎的血盆大口可以吞噬掉可怕的东西，因此他们画出老虎的形象作为部落的图腾。在《山海经》中，也有关于老虎吃掉恶鬼的传说。

虎一直以来被视为瑞兽，也逐渐被赋予镇宅护院、驱邪护婴

等寓意。平日里，人们或者画虎，或者贴虎于门上，以趋吉避凶；到了农历五月初五端午节，人们会用艾叶制作

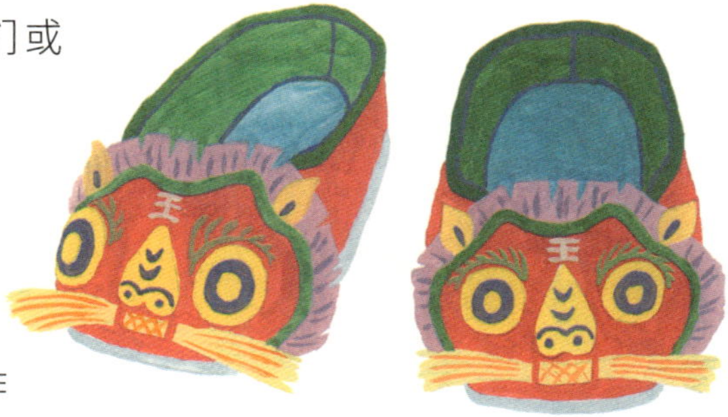

成虎形的装饰物以驱五毒，妇女们还会为新生儿制作虎肚兜、虎头鞋、虎头帽、虎头枕、布老虎，来祝福孩子健康成长。在北方的农村，经常见到七八个月大的孩子趴在火炕上，好奇地盯着炕上的布老虎，大一点儿的孩子则会拿着布老虎和伙伴们玩扮老虎过家家的游戏。虎头虎脑的孩子们和憨态可掬的布老虎在一起，构成一幅幅有趣的画面。

布老虎形式多样，有单头虎、双头虎、四头虎，还有子母虎、套虎等。不同的布老虎，制作材料、色彩、纹饰和工艺也有差异。一般是用棉布或丝绸做“虎皮”，内部填装棉花、锯末、谷糠等做“虎身”，再用彩绘、刺绣、剪贴、挖补等方法描绘出虎的五官和花纹。

常见的布老虎多是红黄两色的，因

为这两种颜色是我国北方传统文化中代表喜庆和吉祥的颜色。也有用黑色、青色、花色或用蓝印花布缝制的布老虎，看起来风格浓烈，别有一番审美趣味。布老虎的装饰常常能起到画龙点睛的作用。除了用颜料彩绘、用彩线刺绣，民间的妇人还喜欢用绒线编织成各种各样的花朵，缝缀在布老虎身上，以达到特别的装饰效果。

别看布老虎是乡土气息浓郁的民间玩具，它曾经也进入宫廷，受到小皇子和小公主的喜爱。宫廷里的布老虎有用绸缎、绒布等材料做成的，看起来更加精致。北京故宫博物院现存一只清代的布老虎，身上的花纹用颜料彩绘而成，眼睛处原嵌有黑色的眼珠，尾巴颀长，造型雄壮。

在中国许多地方都可以看到布老虎，比如山西、山东、陕西、河南等。流行于山西黎城的布老虎也被称为黎侯虎，特点就是四肢粗胖，昂首站立，有武将风范；山东沂水的布老虎有在肚子里填充菊花、艾草、黄芪这些中药的，据说有宁心安神、芳香驱虫等功效；陕西关中地区的布老虎则喜欢用“五毒”图案来装饰……由于不同地区的人对老虎的理解不尽相同，所以这些布老虎风格迥异，有的稳重宁静，有的活泼乖巧，拥有鲜明的特色。虽然这些布老虎在外形、神态上各不相同，但都被赋予了美好的寓意，表达了相同的祈愿。

和布老虎一样，布娃娃也是用来向孩子表达爱意的布玩具。提到布娃娃，很多人觉得它起源于国外，但中国布娃娃的历史也很悠久。中国布娃娃在制作上讲究写意，传统的春娃娃，就是缝起方布的四角作为四肢，装上圆形的头，在红脸蛋上用简单几笔勾勒出大大的眼睛、小小的嘴巴，再穿上一个布兜兜就基本成形了。春娃娃在功能上有较强的时令性和民俗意味。比如在山东日照，春娃娃多用于立春之日，让小孩佩戴在身上，有迎春、劝农的寓意。

随着西方洋娃娃进入中国市场，中国布娃娃的制作也发生了变化。20世纪纪初，在外国传教士创办的上海济良所内，被救助的妇女们用布娃娃作为练习制作旗袍的模特，利用传统的刺绣、挑花等工艺，制作出样式上更贴近西洋样式的布娃娃。这些布娃娃拥有不同的身份和年龄，有绅士、警察、官员，有农夫、女仆、僧侣，也有新郎、新娘、男孩、女孩和婴儿。上海济良所出品的布娃娃像一幅写实画，反映了当时上海的社会风貌。这些布娃娃被放上柜台后，立即吸引了大批上海小孩的目光，有许多还被当时居住在上海的外国小孩买去。济良所的布娃娃们后来又躲在小主人的行李箱里，跟随这些外国小朋友去到法国、美国、英国等国家。现在的它们，有的出现在国外的古董娃娃博物馆，有的仍然活跃在古董娃娃拍卖会上，但都有一个统一的名字——济良所娃娃。

如今，除了供孩子玩乐，传统布玩具也成了具有极高观赏价值的工艺品。受传统文化浸润的山西布老虎——黎侯虎就因极高的审美价值、丰富的民俗内涵和浓浓的地域文

化特征，被列入国家级非物质文化遗产代表性项目名录。

在手工艺人的坚守和传承下，传统的布玩具也会重获新生，焕发新的活力。自创了“绣塑布偶”的中国工艺美术大师单秀梅，就是一名在布娃娃的制作技艺上不断创新的民间艺术家。她在高弹力材料制成的胎体上，用线勒出布偶的造型，同时用针绣出布偶的五官，再搭配新疆风情的服饰和道具，创造出一件件极具民族风情的“新疆布娃娃”。婀娜多姿的维吾尔族少女、围在火炉边吃着西瓜的白胡子老人、吆喝着生意手中还不忘拉面的回族小伙、顶着馕坐在毛驴车上的塔吉克族妇女……她做的布偶活灵活现，充满生活气息，动作、表情甚至妆容都深深地植根于新疆的风土人情。

随着科技的发展和人们生活方式的变化，会针线活儿的人越来越少，中国传统的布玩具也早已退出主流的玩具市场。但如果我们想到，一代代孩子曾在温暖的布玩具的陪伴下，慢慢长成善良、温柔的大人，那么这样一门饱含爱意的艺术就不会被世界遗忘。

指尖工坊

【缝一头瑞兽】

做一只精美的布老虎，除了需要娴熟的针线功夫，还需要一双能发现美的眼睛，因为如果能找到一块好看的布料，往往能事半功倍。

第一步，是在选好的布上画出布老虎的布样：两片对称的老虎剪影的形状，剪下来做身子，一块两头尖的葫芦形的，剪下来做肚子，两对水滴或者半圆形的，剪下来做耳朵，此外还要画出老虎的五官，画好后用剪刀剪出布样。

接下来是缝制和填充。先将虎身的两块布正面相对缝制，留一侧与肚子连接。身子和肚子缝好前，在肚皮下面留一个口，将布翻到正面。将事先准备好的棉花、锯末或者谷糠等填充物塞进去，再把口缝合起来。

最后是给布老虎装饰脸和身体。先把布老虎的眼睛、鼻子、耳朵等部位绣好，再分别装饰到虎身上。这样，一只可爱的单头布老虎就制作完成了。

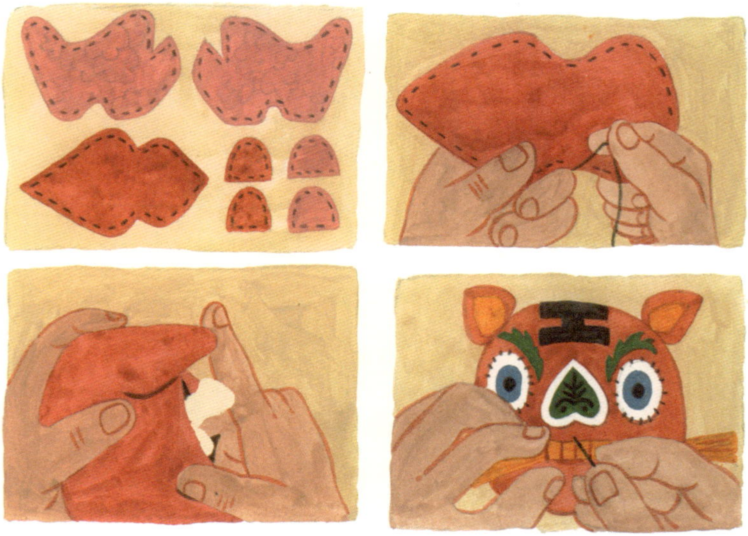

毽　　子

无脚无腿偏爱跳

“无脚无腿偏爱跳，非禽非兽却有毛。不要让它掉在地，谁先掉地谁输了。”这曾是流行一时的谜语，谜底就是毽子。长期以来，毽子都是一种常见的玩具，而且它同拳术、武术一样，是能够给人们带来健康的活动。

与踢毽子类似的游戏最早可以追溯到中国古代的蹴鞠（cù jū）。“蹴”是用脚踢的意思，“鞠”就是用皮革缝制的球。蹴鞠和现代的足球运动相似，需要一定的场地，对参加的人数也有要求，所以有时会因条件的限制而玩不成，因此到了汉代，就有人开始玩相对简单的蹴毛丸了。在山东出土的一块东汉画像石上，就有8个人在蹴毛丸的图画。毛丸是用禽兽的毛制作成的小球，玩法已经和现代的毽子极为相似了。

绘有蹴毛丸的东汉画像石

到了南北朝时期，人们已经能够熟练地踢毽子了。唐代释道宣撰写的《高僧传》中就记录了北魏时期的一则故事：一天，有个12岁的男孩在水井栏杆边连续反踢毽子500多次，引得一旁的路人赞叹不已。嵩山少林寺的首任住持佛陀禅师看到这一幕，说“此小儿世戏有工，道业亦应无昧”，意思是这孩子在世间的游戏上都能有如此深厚的功夫，在个人的修行上也会有所成就。这个天资出众的男孩就是后来成为中国佛教律宗奠基人的慧光大师。看来，与许多在平凡工作中做出非凡成绩来的人一样，即使是踢毽子这样的小游戏，只要肯下功夫，刻苦练习，也一样能踢出名堂来。

唐宋时期，踢毽子已经很盛行了。到了清代，民间还出现了许多专门踢毽子的艺人，跟现在的足球、羽毛球明星一样全国皆知。清末北京的“毽儿谭”就是其中之一。“毽儿谭”本名谭俊川，从13岁就开始踢毽子，几十年练就了扎

实的脚上功夫。谭师傅能一口气连着踢6000下而使毽子不落地，在这一过程中还能接连不断地穿插表演20多套花式动作，被后人尊称为“毽神”。

有人曾回忆“毽神”的绝活儿：“只见毽子在空中落下时，他用手指脑门，即用脑门接，用手指鼻子就用鼻子接……他的绝活儿是‘倒钩雕翎（líng）’，猛地一脚将毽子踢向空中，旋即翻身向后倒立。霎时间以脚掌接住毽子，喝彩声四起未绝之时，又见其轻轻地一翻脚腕儿，但见那毽子再次飞向空中……”上面提到的“倒钩雕翎”中的翎，原是鸟翅膀和尾巴上长而硬的羽毛，有时也用来指毽子，所以毽子在北京还有一个诗意的名字——翔翎。

谭师傅根据史料和自己踢毽子的体会写下了《翔翎指南》，并且在1902年刊印发行，这是我国历史上的第一部毽谱。

毽子最流行的踢法是用脚的内侧踢，使毽子连续向上飞不落地，一边踢一边记数，踢得越多越好。也有用脚的外侧反踢的，或用膝盖撞毽子的，更厉害的可以用头顶、额头、鼻尖、嘴唇、肩、背、腹、臀来代替脚掌，全身各个部位都能让毽子停

下来又飞起来，达到毽子与人身合一的境界。毽子可以一个人踢，也可以几个人对踢。由于毽子制作简单，成本低，好玩又不受人数和场地条件的限制，所以即便有千百年的历史，仍然十分流行，是男女老幼都喜爱的游戏。

2000多年的流行，也让毽子产生了很多流派和样式，花毽就是其中的一种。花毽比普通的毽子更讲求美观，玩法上则是侧重玩出花样来。

花毽的踢法花样繁多，大体可以分为南北两派。北派流行的是小花毽，毽子羽毛短小，毽托较重，踢起来速度快、有劲儿，掌握起来较难。以北京和天津为代表的北派花毽一般都是单兵作战，追求高超的技巧；南方流行的大花毽，更注重团队合作，多是四五人围成一圈，一人一脚，踢起来声音悦耳。

花毽可以分为鸡毛毽、鹅毛毽和雕翎毽等。由于一只雕身上只有20来根羽毛适合用来做花毽，而且雕已经被列为国家级的保护动物，因此历史上保留下来的雕翎毽更多是用来观赏把玩，很少用来踢了。

有人说，踢毽子看起来只是“难登大雅之堂”的日常游戏，但实际上，它不仅能够在精神上给人以愉悦，而且还能起到锻炼身体的作用。《燕京岁时记》上就说踢毽子“足以活血御寒”，所以我国很多地方都将踢毽子视为一种岁时节令的重要活动，尤其是在冬季，更是“天寒时消遣之一法”。北京柳树多，人们以它的生长枯荣来记录时节，踢毽子便是在杨柳叶子落尽，天寒地冻的时节里的最佳运动。

毽子已经是拥有千年历史的老玩具了，其绚丽斑斓的色彩、空中优雅的姿态，使踢毽成为一种技巧和美感并存的运动，同时带给人以健康和趣味。如今，它历经千年而不衰，依然是一项拥有强劲生命力的游戏。

指尖工坊

【羽毛的戏法】

毽子在旧时都是手工制作的，方法也很简单。通常是用一块小布，包上两枚有孔的铜钱或铁片，再有一小截下端剪成十字形开口的鹅毛管子，用针线缝牢，成为底座。然后在未剪开的鹅毛管子上端插上七八根鸡毛，一个传统的鸡毛毽就制作好了。为了美观，鸡毛毽一般选用的是大公鸡尾部或者颈部那些修长的羽毛，更为讲究的是用鹅翎。

随着踢毽子活动的流行，也产生了一批以制作毽子为生的手艺人，早年间北京地区著名的制毽子艺人“翎子常”就是其中之一。“翎子常”祖上以制作清代官员帽缨为业，民国后转行从事制毽的行当。他制作的毽子样式繁多，美观好用，颇受人们的喜爱。

弹　弓

无忧少年的宝贝

早年间，如果你看到一位少年，长时间地仰着脸，围着能见到的每一棵树打转，说不定，他是在计划做一件称手的“武器”。如果他和你说，这个“武器”的关键，就在于找到一个带着杈的、不粗又不细的树枝。这时可以确定，你遇到的是一位弹弓少年。

现在，弹弓可以从许多地方买到，但在20世纪或更早以前，做弹弓是孩子们自己的活儿。制作弹弓和玩弹弓，曾经是中国孩子们的共同记忆。而且玩得好的孩子，它手里的那把弹弓一定是光溜溜的，手柄透着一股子乌黑，就像战争年代被战士们摩挲得

溜光的枪柄一样。

弹弓作为儿童玩具的记载，最早出现在西汉韩婴的《韩诗外传》中，书中写道："黄雀方欲食螳螂，不知童子挟弹丸在下，迎而欲弹之。"这位童子能这么冷静地观察黄雀捕螳螂，可见他小小年纪就懂得了等待时机的道理。

虽然和现在的玩具枪相比，弹弓显得原始又笨拙。但在古代，弹弓是公子哥出游最爱的装备之一，弹弓玩得好也是一件很风光的事。《世说新语》中就有记录，著名的美男子在少年时曾携带弹弓在洛阳的道路上走，遇着的女性都忍不住围观，非常着迷。唐代的笔记小说《因话录》里写道，唐朝的韩公武因为用弹弓打中了画中鹤的眼睛，竟然也被称为当时一绝，可见古人尊重各种才华，而弹弓的威力也让人敬畏欣赏。

如果我们回顾弹弓的历史，就会发现，这个有着上千年历史的玩具，最早可不是用来玩的。有关弹弓的文字记载最早出现在记述春秋战国的史书《吴越春秋》上，书中有两处提到弹弓。一处是描写原始人生活的《弹歌》，有这么一句"断竹，属木；飞土，逐肉"。从中我们可以了解到，弹弓最初是用竹子制作的，"飞土"和"逐肉"分别是指给弹弓装上泥丸和射击鸟兽获得食物。另有一处，是说到古时候的孝子，生怕已故父母的身躯遭到鸟兽的侵扰，于是带着弹弓赶走它们。

弹弓还曾是唐代城市巡防人员的防御和警告工具。在晨间或夜里，如果巡防的人看到角落里有鬼鬼祟祟的人，便会发出询问，如果对方心虚不应答，巡防的人会举起手中的弹弓再问一遍，对方仍不应答，则会用弹弓弹射其身边的物件，如果第三次还不应答，就会向对方弹射。后来，还有人发掘了弹弓的其他用处，比如在蜡制的弹丸里塞密信传递信息或者军事情报，还有官员曾用弹丸包密信向皇帝告状。

甚至还有用弹弓来播种的记录。宋代的石延年被贬后，用弹弓将桃核发射到人难以到达的地方，几年后，山谷里竟然开遍了桃花。这种说法也许含有夸张的成分，但也能表明，弹弓的作用确实被发掘到了极致。

随着人们的生活越来越好，弹弓弹射才逐渐变成一种纯粹的娱乐，不仅玩得越来越好，而且花样百出。古代民间表演“百戏”中，就有“飞弹丸”这一项：艺人背对着目标走出一段距离后，才张开弹弓背对着目标弹射，不用瞄准、不用测距，却能百发百中。古籍中还记载过能用弹弓来写字的唐代人张芬：他把弹丸打在新涂的泥墙上，最后，一个个弹丸竟然拼成遒劲有力的四个大字“天下太平”，足以见得他的弹弓技艺高超。

如果仔细查看古籍中的插图，你会发现，古代人说的弹弓，不一定是我们脑海中浮现的Y字形树杈，因为，当时的人把不发射箭矢的弓也称为弹弓。一般的弓发射的是箭矢，而弹弓发射的是弹丸。今天，为了更好地区分，我们将这种发射弹丸的弓归类为射艺，把它称为弹弓术。

弹弓，由弓、弦和弹丸三个部分组成。上面提到的两种弹弓在做法和难度上就截然不同。

发射弹丸的弓，做法与弓箭接近。在唐代小说《酉阳杂俎(zǔ)》里就记载了一段制作的方法：首先，要挑选在阳面生长的竹笋，然后用竹笼把它罩住，让它顺着竹笼长成弯曲的形状，等到秋天拆掉笼子，自然长弯的竹子就是制作这种弹弓的最佳材料。

我们知道，竹子主要生长在我国黄河流域及其以南的省份，不长竹子的地方制作弹弓时用的主要是木头。《太平御览》中就提过，以柘(zhè)木制作弹弓，弹丸的弹射速度快，使用感较好。当然，荔枝木和名贵的檀木都是不错的选择。

制作另一种 Y 字形弹弓时，人们则爱选用榆木，因为榆树的树杈多，韧性也比较好。除此之外，也可以使用桃木、桦木等。去掉树皮后削去多余的部分，做成便于手握的形状和大小，再打磨光滑就行。更精细的做法是在左右两边的枝杈上端刻出对称的两圈凹槽，以便固定弹弓的弦。

Y 字形弹弓的尺寸要与使用者的手相适应，一般来说，要和手掌差不多高，左右枝杈的距离也要和手掌差不多宽，底部的那根枝杈也要够粗，否则容易伤到使用者或者失去准心。

再说说弹丸。凡是能被弹弓弹射出去的圆球，例如石丸、陶丸、泥丸、金属丸、珠丸等，都可以称为弹丸。甚至有直接用珍

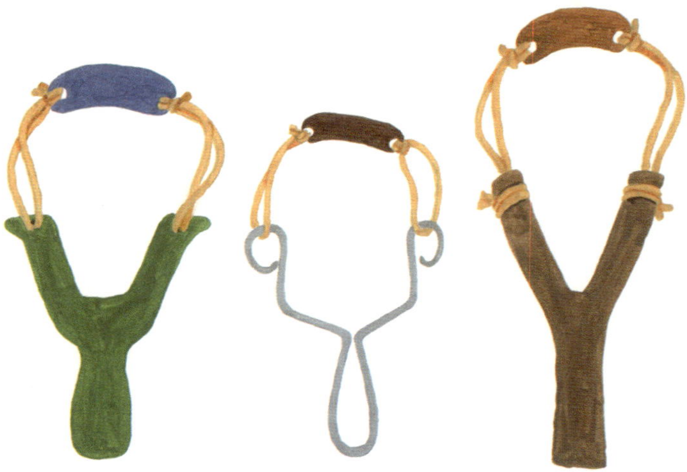

珠或者金子制作弹丸的，唐代诗人李白的诗中就写道："金丸落飞鸟，夜入琼楼卧。"当时，金丸是只有皇室和显贵才能使用的物品，也是身份地位的象征。在众多的材料中，泥土和石子是最容易得到的，因此也被使用得最多。就地取土、浸水就能制成泥丸，也有在泥巴里混合其他材料的。随着金属冶炼技术的提高，在唐宋时期，还出现了用铜做的弹丸，杀伤力更大。

曾经，在相当长的一段时间里，生活在大自然里的孩子，去河边或者随地拣些石子就可以做弹丸，对着树叶就可以练习自己的弹射技术。如今，塑料、金属等各种材质的弹弓越来越多，有的还安了瞄准器等辅助工具，但那样无忧无虑的弹弓少年却鲜少见到了。

指尖工坊

弹弓也是武器

弹弓曾经是冷兵器中的一员，即便如今只是孩子们手中的玩具，但也仍然具有杀伤力。玩的时候，必须谨记这些安全事项：

1. 玩弹弓最好在野外，并且戴上树脂材料的偏光镜，避免弹珠回弹击中眼睛。

2. 玩弹弓前，要检查皮筋和皮兜处，发现损坏要及时更换。

3. 不要将弹弓朝向有人或有动物的方向，也不要朝向他人的财物。

4. 尽量选用破坏性小的材料做弹珠，比如柔软的泥巴、橡皮泥等，尽量不要使用金属材质的弹珠。

5. 不要把弹弓拉到眼睛下方进行瞄准，弓弦意外断开回弹时容易击中眼球。

总之，一定要在大人的指导下学习掌握弹弓的正确握法和发力方法。在玩的过程中，做到不伤害自己，也不威胁到其他生命和财产。

高跷

空中的舞蹈

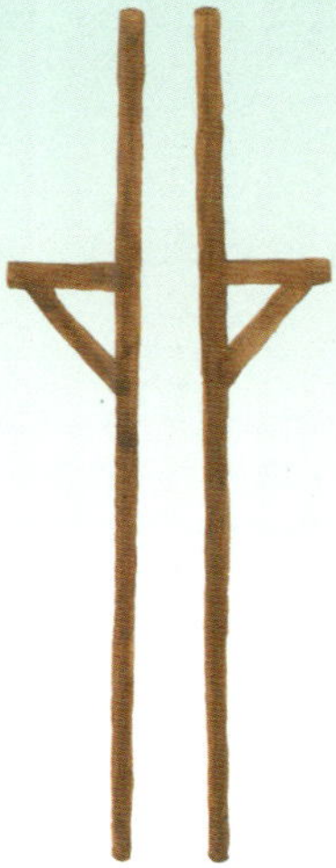

高跷，因踩在高高的木跷上而得名。在两根长长的木棍下端，做出两块专门放脚的支撑点。踩高跷的人，双脚踩在支撑点上，双手扶住木棍上端保持平衡，就可以如履平地、健步如飞。高跷的跷腿高度不一，有二三十厘米的，也有一两米的，更高的甚至可以达到三米以上。所以，要想走得稳当直溜，不仅要有熟能生巧的技术，有时还需要一些胆量。

不管在祖国的南方还是北方，都能看到高跷。它可以是孩童们自娱自乐的玩具，也可以是和秧歌结合起来的“高跷秧歌”，在锣鼓、唢呐等吹打乐器的伴奏下成为一种凌空的舞蹈。用绳子将小腿与木棍上端绑在一起，技艺高超的踩跷人便能腾出双手，拿着扇子、手绢等道具尽情表演，甚至能做出劈叉、翻跟头等高难度动作。

在我国，高跷有着悠久的历史。根据《列子·说符》中的记录，早在春秋时期便有表演高跷技艺的人了。根据文中的描述，这个人把比身体还要长上一倍的木棍绑在小腿上后，时而快走，时而奔跑，不仅如此，他还能把剑舞出花样来：“弄七剑，迭而跃之，五剑常在空中。”到了唐宋时期，随着杂技表演的兴起以及社火活动的发展，高跷也逐渐流行起来。

关于高跷的来历，学术界众说纷纭，比较有代表性的是下面两种观点：

一种观点认为，高跷的出现与原始氏族的图腾崇拜有关。著名民俗学家、历史学家孙作云曾提出，高跷是人类模仿自然形态的结果。在尧舜时期，有一个以鹤为图腾的丹朱氏族。他们在举行祭祀仪式时，会模仿鹤的形态跳舞，高跷便是他们发明出来的跳舞时用的道具。

另一种观点认为，高跷源于古代劳动人民的生活智慧，是他们在日常劳作中发明的工具。比如，聚居在广西防城港京族三岛上的京族渔民，就掌握着一种古老的“高跷捕鱼”技术。每年，当一些小体形的鱼虾从深海洄游到浅海，京族人便会拉着用木棍撑起来的三角形渔网，在沿海的水域踩着高跷进行捕捞。脚踩高

跷，可以居高临下地观察鱼群、虾群的走向，大大提高捕捞的效率。

踩高跷这一活动能够传承至今，与民间的社火密不可分。社火是中国乡土社会节日庆典中的文艺表演，最初是指社日，即古人祭拜土地神这天的庆祝活动。古时分“春社”和“秋社”，春社时祈求雨水丰沛、五谷丰登；秋社时则对土地神的庇佑表示感谢。后来社火也用来代指春节、元宵节、二月二等其他传统节日的民俗活动，甚至成为民间节庆日所有民俗表演的总称。

社火中的高跷表演少时两三人，多时能有几十人甚至上百人。有些地方还会组织专门的高跷巡游——踩街。伴随着阵阵锣鼓、声声唢呐，高跷表演队排成一列或两列，一边走一边表演，阵容庞大，热闹非凡。

根据内容和难度的差异，高跷表演可以分为文高跷和武高跷，文高跷是表演舞蹈或特定的剧目，武高跷则是进行特技演出。

高跷表演的剧目往往取自神话传说或历史故事，表演者会根据角色穿上不同的演出服装，拿上扇子、手绢、木棍、刀枪等道具，颇有戏剧表演的气派。

《西游记》里的孙悟空、猪八戒、唐僧，《三国演义》里的刘备、关羽、张飞，还有手托金元宝的财神、手执宝器的八仙，都是常见的扮相。

在山西省运城市稷山县，还有一种两人共骑一头“神兽”的“高跷走兽”表演。这些神兽造型夸张，有寓意平安吉祥的麒麟，寓意独占鳌头的鳌鱼，还有神话传说里的独角兽、貅（xiū）狼等。这些外形威武的神兽都是由高超的手艺人用麻纸、细绳、细竹、铁丝、布料等各种材料缝制和绑缚而成的，做工精美。穿戴时，两位演员套进连体的“兽身”，从“兽背”的两个孔里露出上半身，踩着高跷的腿则刚好藏进神兽的“四只脚”里。如今，历史悠久的“高跷走兽”仍然会在重要的社火活动中上演。

除了“高跷走兽”，全国各地的高跷表演，也都带着鲜明的艺术特点。最有代表性的，要数中国的“高跷之巅”——苦水高高跷了。

苦水高高跷诞生于甘肃省兰州市永登县苦水镇，这里的高跷有着惊人的高度——跷腿最高可达3.3米，再加上人的身高，就足足有一层楼那么高了，因此被民俗学家赋予了“高高跷”的美名。

苦水高高跷起源于元末明初，距今已经有将近700年的历史了。如今，高高跷仍是当地人在农历二月二龙抬头社火中的重要节目。每年二月二的前后几天，家家户户积极响应，出钱出力。不光有尽兴表演的，还有捧场叫好的，演出当天总是万人空巷，热闹非凡。演出时，表演方阵沿着长近一公里的街道依次行进，踩着高高跷的“天神天将”身穿传统戏服，脸上画着各种人物的脸谱，手中挥舞着宝刀或各种法器，踩着十字花步稳稳前行。除了踩高高跷的，社火方阵里还有打鼓的、舞龙的、舞扇的、跑旱船的，表演者可达上百人，好不热闹。

在苦水镇，踩高高跷是一门代代相传的表演艺术，

需要从小训练。随着跷腿高度的增加，踩跷的难度也在增加。10多岁的孩子可以从50厘米的跷腿踩起，到了13岁、14岁可以挑战1米甚至1.5米的，再长大一些就可以挑战2米甚至3米高的了。“松紧合适绑跷腿，沉稳踏实不慌张，胆大心细迈步稳，用劲挺腰目远望。”这一苦水高高跷的技术要领也被一代一代地传承下来。

除了要胆大心细，踩高高跷对体力的要求也很高。高跷的跷腿是松木做的，一副3米高的高跷，重量往往在10千克以上。表演者要踩着这样沉的高跷行走、表演两三小时，没有强健的身体肯定是吃不消的。

2006年，高跷这一独具特色的传统被列入国家级非物质文化遗产代表性项目名录，高跷走兽、苦水高高跷、海城高跷、辽西高跷、盖州高跷、独杆跷等都是名录内极具代表性的高跷种类。

各地高跷的动作、风格虽然各不相同，但都代表着人们对美好生活的祈愿。人们通过高跷来祭祀土地神，祈求风调雨顺和五谷丰登。在人们的心中，高跷踩得越稳当、越热闹，大家日子也就能过得越来越顺遂、越来越火红。

指尖工坊

【制作一双凌空的“长腿”】

制作高跷的工艺并不复杂，主要是确保材料结实好用。首先，需要准备包括锯子、凿子、砂纸和木工刨子在内的工具。要做一副好用的高跷，木材的选择很重要，做好的跷腿不能有裂痕，更不能拼接，因此要选择原木，上好的松木和柳木是首选。

以一根长度为1米的高跷举例，先要准备一根粗细合适、差不多长度的原木，用刨子去掉原木上的结疤，使其光滑可用。然后是制作T字形的跷腿。在原木的一端约20厘米处，用凿子凿切一处深度适当的榫眼。另准备一块木板作为脚踏的支点，一端锯出对应长、宽和深度的榫头。把榫头的凸出部分和榫眼的凹部压合，确认牢固，一副高跷就初具雏形了。有时，工匠还会在脚踏的木板下方安装一个撑棒，使其与跷腿、脚踏构成一个三角形，这样能更加稳固。最后用砂纸打磨、上漆，便可做成颜色各异的高跷了。

脸谱

会『说话』的面孔

你看过变脸吗？舞台上的演员通过抹、扯等动作，一转眼就能变换出各色脸谱，有时，在变脸的间歇，演员还会配上吐火特技，令观众直呼精彩刺激。

变脸是川剧表演里的绝活儿，除了川剧，京剧、秦腔等中国传统戏剧中都有脸谱。只不过川剧的脸谱是画在薄薄的绸布上，其他戏剧的脸谱是直接画在演员的脸上。

说起来，人类的脸谱文化其实由来已久，最早甚至可以追溯到遥远的石器时代。当时，人类不像今天这样了解自然，日月星辰、风雨雷电、生老病死等现象都令当时的人们感到神奇。他们认为，冥冥之中存在掌握着神秘力量的神灵，这就催生了巫师这一帮着人们向神灵祈福和沟通的职业。

巫师在祭神祈福的时候，要举行一种叫作傩（nuó）的仪式。在仪式上，巫师会戴着描画成神鬼等样子的面具载歌载舞。经过几千年的沿袭和发展，如今，在中国的一些地方仍能看到这种驱疫纳福的古老仪式。

到了汉代，巫傩仪式发展为宫廷的傩礼和民间的乡傩活动，在驱疫纳福外，还增加了娱乐的功能。面具也由较为粗犷的图腾，发展出能够展现喜怒哀乐的人面来。

从南北朝末期开始一直到唐代，在百戏的基础上，发展出了有故事情节的歌舞戏。歌舞戏的表演不仅载歌载舞，而且有伴唱和乐器伴奏。有些剧目是戴着面具演，有些剧目则要涂面化装。后来，歌舞戏里的面具和涂面艺术被后代的戏剧沿用，成为用来表现人物性格的化装塑形艺术。

到了元代，随着元杂剧和地方戏的发展，最初的舞台脸谱形成了。这个时候的脸谱还很简单，直到清朝，各种地方戏在北京汇聚，形成了京剧艺术，脸谱的式样才真正丰富起来。京剧脸谱正是各种地方戏化装技艺的一次融合与创造。

在京剧中，角色不同，化装和造型也各不相同。在生、旦、净、丑这四个京剧行当里，生、旦的面部绘画相对简单，多是略施粉黛；净行的面部绘画则比较复杂，多是重施油彩，因此也被称为花脸；丑行，多是在鼻子上抹豆腐块大小的白粉，俗称小花脸。所以，人们印象中那些花样繁多的脸谱，大多是被画在净行的脸上。

在京剧舞台的上千出戏里，有数不清的花脸角色，几乎每个角色都有一套特定的画法。熟悉的观众看一眼脸谱，便能知道这是哪出戏里的哪个人物：画着猴脸、眼圈用金色或黄色的是火眼金睛的孙悟空；黑脸勺眉、黑额头上有个白月牙的是铁面无私的包拯；脑门上画着“一笔虎”的是勇猛无敌的杨七郎；脸谱当中有雷电纹的是雷公；额头上画着眼睛的是杨戬（jiǎn）；额头上画着金钱的是财神……

经过多年的发展，不同角色的脸谱该怎么画，早已形成了约定俗成的谱式。从脸谱的线条和色块布局来区分，可以归纳为整脸、三块瓦脸、歪脸、十字脸等。

整脸是最简单、最原始的脸谱形式。整张脸的描绘通常只用红、白或黑一种颜色为主色，再用另一种颜色勾画眉眼。三块瓦脸是因额头和左右脸颊这三个明显的色块而得名。用白色绘这三块就叫“白三块瓦”，如《失街亭》中的马谡。此外，还有红三块瓦、蓝花三块瓦、黄花三块瓦等。歪脸是指构图和色彩不对称的花脸，多用来塑造反面角色。十字脸则是自脑门到鼻子尖画

整脸

三块瓦脸

歪脸

十字脸

有立柱纹，而且与两个眼窝相交，看起来很像一个“十”字。

最早的京剧脸谱，主要采用黑、红、白三种颜色。随着戏曲节目的增多，为了区别更多的戏曲人物，艺术家把“面如重枣”“面似乌金”“面色姜黄”“绿脸红须”“红胡子蓝靛脸”等这些出现在古典小说和评书中的描述也吸收进来，创作出色彩各异、变化多端的脸谱。

京剧脸谱的色彩十分讲究，每个脸谱都有一个主色，辅以其他颜色。“蓝脸的窦尔敦盗御马，红脸的关公战长沙，黄脸的典韦，白脸的曹操，黑脸的张飞叫喳喳……”色彩是脸谱的语言，不同的颜色往往代表着不同的人物性格。例如，红色代表忠诚、英勇，白色代表奸诈、多疑，黑色代表正直、智慧，绿色代表粗鲁、莽撞，蓝色代表刚强、有心计等。辨对了脸谱的颜色，人物的忠奸善恶往往能猜个八九不离十。

最初，脸谱是勾画在戏剧演员的脸上，用来表现人物性格的。后来，心灵手巧的手工艺人，又以戏剧舞台上的脸谱为原型，通过泥塑、彩绘等方式进行二次创作，制成小巧的泥塑脸谱。

最开始，泥塑脸谱是光头的造型，为了使彩塑脸谱更贴近于京剧舞台上的真实形象，手工艺人开始在光头脸谱的泥坯上增加盔头和胡须等部件，并在盔头上加泥球和小珠，制作成一体塑造的泥须脸谱。后来，手工艺人又用各种颜色的丝线代替泥质的胡须，用有着绒球装饰的盔头代替泥质盔头，制作出更具真实感的绒须脸谱。

作为传统戏剧最早的周边产品，彩塑脸谱一经推出便受到广大戏迷和票友的欢迎。20世纪30年代，在北京的东安市场内就有“德顺祥”“福德号”等专门售卖彩塑脸谱的老字号。店里售卖的泥塑脸谱花样繁多，既有常见的六七厘米长的，也有50厘米以上的大型作品和指甲盖大小的

泥须脸谱

光头脸谱

绒须脸谱

微型作品。

现在，京剧脸谱作为中国传统文化的标志之一，已经在全世界流行开来。人们将脸谱印在风筝、木偶等各种物品上，制作出丰富多彩的玩具和工艺品，令国粹瑰宝持续地焕发光彩与生机。

指尖工坊

泥塑脸谱的制作

泥塑脸谱的制作是泥塑和绘画艺术的结合，传统的泥塑脸谱大体要经过泡砸胶泥、塑造面部（或翻模制作）、泥面绘画这三个步骤。

首先是选择黏土，一般都是就地取材。未经加工的黏土要加水沉浸，过滤掉泥土中的杂质，剩下细腻的生泥。用木槌捶打生泥，然后一层一层地加入适量的棉絮，经过反复捶打，形成具有黏性的熟泥。捶打到什么程度呢？像揉橡皮泥一样，揉一个泥条出来，泥条光润不裂开就是好了。

第二步是塑造面部。泥塑脸谱属于浮雕的一种，最初的泥塑脸谱都是手艺人一点一滴雕刻出来的。后来，随着销量的增加，出现了制作脸谱的模具。最初的模具是泥质的，后来有了石膏模具。

第三步是泥面绘画。先用板刷或者毛笔刷涂一层底色，等底色干爽后，再上其他颜色。手艺人多是参考京剧脸谱已有的谱式进行描摹，有时也会在原有图案的基础上进行创作。

将勾画完毕的脸谱放在阴凉处阴干，风干后，一件彩色泥塑脸谱就制作完成了。